HURRA!!!

PO POLSKU 1

NOWA EDYCJA

Małgorzata Małolepsza
Aneta Szymkiewicz

PODRĘCZNIK STUDENTA

SPRAWNOŚCI JĘZYKOWE

Rozumienie ze słuchu	Rozumienie tekstów pisanych	Mówienie	Pisanie	Materiały autentyczne
– wymowa i akcent	– krzyżówka	– wymowa i akcent	– ortografia: polski alfabet	– mapa Polski – krzyżówka
– intonacja – pierwsze kontakty – odbieranie faktury VAT (dane osobowe)	– quiz *Czy wiesz, skąd oni są?*	– pytanie o samopoczucie – ankieta osobowa – przedstawianie się	– ankieta osobowa	– wizytówki
– krótkie dialogi w stylu oficjalnym i nieoficjalnym – podawanie adresu	– krótkie dialogi w stylu oficjalnym i nieoficjalnym	– opisywanie osób	– ortografia: polski alfabet	– adresy – numery kierunkowe – nazwy województw – mapa Polski
– początek teleturnieju – przedstawianie się	– czat w internecie – quiz *Czy wiesz, kim on / ona jest?*	– ankieta osobowa	– ortografia: nazwy obywateli państw – interpunkcja – ankieta osobowa	– teleturniej – czat w internecie
– wymowa liczebników – program radiowy *Goście w radiu* – tekst *Sąsiedzi*	– tekst *Moja rodzina* – quiz *Kto jest kim*	– prezentacja swojej rodziny	– zapis adresu e-mailowego	– adres e-mailowy – drzewo genealogiczne – program radiowy
– różne osoby opowiadają o swoim hobby – rozmowy telefoniczne (pytanie o informacje) – wymowa czasowników typu *-ować*	– ogłoszenia z gazety	– wyrażanie upodobania (hobby) – ankieta *Co robisz w wolnym czasie i jak często to robisz?*	– uzupełnianie ankiety	– ogłoszenia z gazety
– nazwy potraw – liczebniki 100 – 1000 – dialogi w kawiarni i restauracji – intonacja i wymowa słów – minidialogi sytuacyjne	– karta dań kawiarni i restauracji – broszura pizzerii	– dialogi w kawiarni i restauracji	– złożony sposób podawania numeru telefonu – tworzenie karty dań restauracji – tworzenie menu	– reklama: hotel, kawiarnia, restauracja, pizzeria – numery telefonów alarmowych i ambasad – menu kawiarni i restauracji – rachunek z restauracji – broszura reklamowa z pizzerii – napisy i szyldy
– rozmowa telefoniczna – program kin i teatrów przez telefon – pytanie o godzinę	– tekst *Dzień Ani* – ustalenie kolejności wydarzeń	– opisywanie rutyny dnia codziennego – quiz *Czy wiesz, czy umiesz, czy znasz?*	– wypełnianie kalendarza tygodniowego – tekst *Mój dzień*	– kalendarz tygodniowy – program kin i teatrów przez telefon
– opowiadanie o czynnościach codziennych (*Andrzej mówi o sobie*) – dialogi telefoniczne: umawianie się na spotkanie i wizytę, w informacji PKP, w hotelu, zamawianie taksówki, pomyłka telefoniczna	– plan wizyty biznesmena – rozkład jazdy pociągów	– umawianie się na spotkanie – dialogi na dworcu PKP: w informacji i kasie biletowej	– planowanie tygodnia – odpowiedź na propozycję spotkania	– plan wizyty biznesmena – rozkład jazdy pociągów – bilet na pociąg
– dialogi w sklepie spożywczym i odzieżowym	– oferta sklepu odzieżowego w internecie – artykuł na temat mody	– dialogi sytuacyjne (sklep spożywczy, odzieżowy) – komplementy – opinie o modzie	– opis ubioru	– internetowy sklep odzieżowy – metki ubraniowe – artykuł o modzie
– akcent w czasie przeszłym (l. mn.) – rozmowa telefoniczna	– e-mail do przyjaciela	– zadawanie pytań i relacjonowanie wydarzeń z przeszłości – *Mój zeszły rok*	– relacjonowanie wydarzeń na podstawie notatki z kalendarza – *Jaki Pan był / Pani była w przeszłości?*	– e-mail do przyjaciela – notatki w kalendarzu

PODSYSTEMY JĘZYKA

SPRAWNOŚCI JĘZYKOWE				
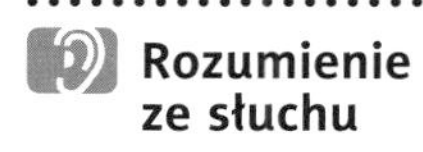 **Rozumienie ze słuchu**	 **Rozumienie tekstów pisanych**	 **Mówienie**	 **Pisanie**	**Materiały autentyczne**
– pytanie o informacje (kupowanie telefonu komórkowego)	– horoskop roczny	– pytanie o plany – opisywanie swoich planów – wyrażanie przypuszczenia na temat przyszłości – pytanie o informacje – kupowanie telefonu komórkowego	– postanowienia noworoczne – tekst *Świat w przeszłości, teraźniejszości i przyszłości*	– SMS-y – tabela taryf telefonicznych – horoskop roczny
– dialogi sytuacyjne (ulica, muzeum, galeria, centrum informacji kulturalnej, punkt sprzedaży biletów MPK) – opinie: *wakacje na wyspie Relaksandii*	– tekst *Zwiedzamy Małopolskę*	– pytanie o drogę – prezentacja atrakcji wyspy Relaksandii – prezentacja atrakcji turystycznych regionu / kraju	– plan nowego miasta – plan wycieczki	– krzyżówka – mapa geograficzna Polski – plan miasta – tekst *Zwiedzamy Małopolskę* – znaki drogowe
– typowe dialogi w podróży – telefoniczna rezerwacja pokoju w pensjonacie	– oferty turystyczne – rozkład jazdy pociągów – pocztówki z wakacji	– rozmowa na temat sposobu spędzania urlopu – uzasadnianie wyboru (dopasowywanie oferty turystycznej do osoby) – telefoniczna rezerwacja pokoju w pensjonacie	– list do biura podróży z pytaniem o informację – pocztówka z wakacji – wypełnianie formularzy	– oferty turystyczne z gazety i z internetu – rozkład jazdy pociągów – pocztówki z wakacji – formularz internetowej rezerwacji pokoju w hotelu – list do biura podróży
– nagrania na automatycznej sekretarce – pytanie o informację	– spis treści z katalogu domu meblowego – artykuł z gazety – oferty z gazety (sprzedaż, kupno, wynajem) – list do redakcji	– opisywanie swojego domu, mieszkania, pokoju – porównywanie dwóch rysunków pokoju: *Znajdź 12 różnic między tymi rysunkami*	– ogłoszenie do gazety (*Szukam mieszkania*) – folder reklamowy na targi mieszkaniowe – projekt strony internetowej sklepu meblowego	– folder reklamowy – artykuł prasowy – ogłoszenia – list do redakcji – nagrania na automatycznej sekretarce
– prognoza pogody – rozmowa na przyjęciu – dialog telefoniczny w rejestracji przychodni – dialog u lekarza	– list czytelniczki do redakcji czasopisma z prośbą o radę – broszura klubu fitness	– opinie o klimacie i pogodzie	– odpowiedź na list czytelniczki do redakcji czasopisma (rubryka *Mam problem*)	– prognoza pogody – list do redakcji – broszura klubu fitness
– informacja z radia o przyznaniu nagrody	– artykuł prasowy *O nich się mówi* – notki biograficzne laureatów Paszportów „Polityki"	– zadawanie pytań dotyczących przeszłości – rozmowa na temat przeszłości	– prosta wersja życiorysu – projekt strony internetowej z życiorysem pracownika firmy	– artykuł prasowy – audycja radiowa – notki biograficzne laureatów Paszportów „Polityki"
– wyniki ankiety *Ile czasu w tygodniu zajmuje Ci .....?* – rozmowa telefoniczna *Na pływalni* – wiadomości sportowe	– definicje dyscyplin sportowych – artykuły: *Otylia Jędrzejczak: Pokazać dzieciom, że sport to pomysł na życie; Stadion Narodowy w Warszawie*	– opinie o sporcie – co zajmuje ci za dużo czasu?	– tworzenie regulaminu (reguły sportowe)	– ankieta *Ile czasu w tygodniu zajmuje Ci .....?* – ogłoszenia rubryki „Sport" – artykuły: *Otylia Jędrzejczak: Pokazać dzieciom, że sport to pomysł na życie; Stadion Narodowy w Warszawie*
– fragment audycji radiowej	– tekst *Jak funkcjonuje pamięć?* – ogłoszenia z gazety (nauka, kursy, szkolenia) – podanie o przyznanie stypendium	– rozmowa na temat uczenia się – wybór kursu spośród ofert prasowych i uzasadnienie tego wyboru	– podanie o przyznanie stypendium	– audycja radiowa – ogłoszenia – podanie o przyznanie stypendium – formularz oceny własnych kompetencji językowych
– opinie na temat tradycji wielkanocnych – piosenka *Sto lat*	– tekst *Wielkanoc dzisiaj* – pocztówka świąteczna – artykuł *100 powodów, dla których warto żyć w Polsce*	– opowiadanie o tradycjach w rodzimym kraju – składanie życzeń	– kartka z życzeniami	– kartka z życzeniami – tekst o polskich tradycjach – piosenka *Sto lat* – artykuł *100 powodów, dla których warto żyć w Polsce*
– przemówienie – dialog w biurze	– artykuł *Mała płotka czy duży rekin?* – quiz *Czy jesteś gotowy, aby mieć własną firmę?* – artykuł *Przedstaw się z klasą*	– dyskusja o przedsiębiorstwach (konkurencja, wady i zalety różnych typów firm) i o karierze – przemówienie	– wizytówka – przemówienie	– artykuł *Mała płotka czy duży rekin?* – quiz *Czy jesteś gotowy, aby mieć własną firmę?* – artykuł *Przedstaw się z klasą*

LEKCJA **0**

SYTUACJE KOMUNIKACYJNE	pierwszy kontakt
SŁOWNICTWO	ważne zwroty
GRAMATYKA I SKŁADNIA	terminy gramatyczne po polsku
MATERIAŁY AUTENTYCZNE	mapa Polski • krzyżówka

Proszę powtórzyć!

POLSKA WYMOWA

Wymowa

1a Proszę powtórzyć za nauczycielem.

Samogłoski	a	e	i
	y	ę	ą
	o	u // ó	

Proszę przeczytać:
bar – mama – telefon – kino – ja – ty – on – ona – ono – my – wy – oni – one – imię – są – jutro – Kraków – dobry – poeta – kawa – woda – mleko

Spółgłoski	k	g	
	t	d	
	p	b	
	f	w	
	j		
	h // ch		
	m	n	ń // ni
	l	r	ł

Proszę przeczytać:
tak – grupa – dobry – pan – reforma – waga – jajko – forma – historia – chmura – szkoła – mała – dzień – dziękuję – pani – mam – wiem – mówię – fajka – figura – herbata – Wałęsa

s	ś // si	sz
z	ź // zi	ż // rz
c	ć // ci	cz
dz	dź // dzi	dż

Proszę przeczytać:
klasa – sala – masa – rasa – świetnie – siedem – szkoła – gazeta – źle – zimno – że – rzeka – co – być – cicho – cztery – bardzo – dzień – dźwig – dżungla – dżinsy – do widzenia

UWAGA!

Inna ortografia, taka sama wymowa!
ó = u; ch = h; rz = ż; ci = ć; dzi = dź; ni = ń; si = ś; zi = ź

POLSKI AKCENT

Akcentujemy przedostatnią sylabę:
_ _ _ _/ _
War-sz<u>a</u>-wa
j<u>ę</u>-zyk p<u>o</u>l-ski
te-l<u>e</u>-fon

1b Proszę posłuchać nauczyciela i zaznaczyć, gdzie jest akcent.

Pol-ska	ra-dio
kul-tu-ra	te-le-wi-zja
ki-no	te-le-fon
te-atr	gru-pa
ar-tys-ta	au-to-bus
po-e-ta	ka-wa
den-tys-ta	kom-pu-ter
ak-tor	in-ter-net

Wymowa

1c Proszę przeczytać te słowa:

historia, geografia, biologia, kultura, edukacja, emocja, metropolia, dialog, student, alternatywa, literatura, moda, kontakt, ryzyko, papier, policja, komedia, sytuacja, karnawał, optymizm, kosmos, horoskop, centrum, intuicja, humanizm, tempo, witamina, uniwersytet, energia, pilot, balet, bank, hit, kompromis, poker, integracja, metal

CD 1-5 **2 Proszę posłuchać i powtórzyć głoski i słowa z ćwiczeń 1a, 1b i 1c.**

3a Proszę powtórzyć za nauczycielem.

Polskie miasta:

Warszawa, Kraków, Łódź, Wrocław, Poznań, Szczecin, Zakopane, Katowice, Kołobrzeg, Zamość, Rzeszów, Suwałki, Zielona Góra, Gdańsk, Elbląg, Częstochowa

Polskie rzeki:

Wisła, Odra, Warta, Bug

3b Proszę zapytać kolegę / koleżankę, gdzie są te miasta i rzeki. Kolega / koleżanka pokazuje na mapie.

- Gdzie jest Kraków / Warszawa ..... ? - Tu jest Kraków / Warszawa.
- Gdzie są Katowice / Suwałki? - Katowice / Suwałki są tu.

4 Proszę obejrzeć film i przeczytać z kolegą / koleżanką dialogi. W których z nich użyto stylu oficjalnego, nieoficjalnego i uniwersalnego?

	A	B	C	D	E	F	G	H	I
styl oficjalny	X								
styl uniwersalny									
styl nieoficjalny									

lekcja 0

SŁOWNICTWO

DVD 2

5 Czy rozumie Pan / Pani, co oni mówią? Proszę obejrzeć film i uzupełnić zdania.

proszę, nie, dziękuję, toaleta

6 Gdzie są słowa?

n i e r o z u m i e m p r o s z ę p o w t ó r z y ć c o t o z n a c z y p r o s z ę n a p i s a ć t a k
p r o s z ę m ó w i ć w o l n i e j n i e w i e m d z i ę k u j ę p r z e p r a s z a m m a m p y t a n i e n i e
j a k j e s t p o p o l s k u n i e g d z i e j e s t t o a l e t a g d z i e j e s t l e k c j a

Wymowa | Ortografia

7 Proszę wpisać brakujące litery i przeczytać po polsku.

po polsku	w Pana / Pani języku
0. pro	....
1. d .... i .... kuj	....
2. p .... epra .... am	....
3. Pro .... powt .... y .... !	....
4. Co to zna .... y?	....
5. ta .... ≠ n .... e	....
6. N .... e w .... m.	....
7. Pro .... napisa .... !	....
8. G .... e jest toaleta?	....
9. Pro .... m .... wi .... wol .... ej!	....
10. Mam pytan .... e!	....
11. Nie roz .... miem	....
12. Jak jest p .... polsk .... ?	....

GRAMATYKA PO POLSKU

terminy łacińskie	terminy polskie
vocalis	samogłoska
consonantis	spółgłoska
singularis	liczba pojedyncza
pluralis	liczba mnoga
masculinum	rodzaj męski
femininum	rodzaj żeński
neutrum	rodzaj nijaki
verbum	czasownik
infinitivus	bezokolicznik
substantivum	rzeczownik
adiectivum	przymiotnik
adverbium	przysłówek
pronomen	zaimek
praepositio	przyimek
numerale	liczebnik
casus	przypadek
nominativus	mianownik
genetivus	dopełniacz
dativus	celownik
accusativus	biernik
instrumentalis	narzędnik
locativus	miejscownik
vocativus	wołacz
perfectum	czas przeszły
praesens	czas teraźniejszy
futurum	czas przyszły

• GRAMATYKA

8 Co to jest?

0. rzeka	czasownik, <u>rzeczownik</u>, przysłówek
1. dzień	przymiotnik, rzeczownik, czasownik
2. dobry	zaimek, przymiotnik, czasownik
3. lektor	rzeczownik, przymiotnik, czasownik
4. miasto	przymiotnik, bezokolicznik, rzeczownik
5. powtórzyć	zaimek, bezokolicznik, przyimek
6. gramatyka	bezokolicznik, rzeczownik, czasownik
7. polski	czasownik, zaimek, przymiotnik
8. samogłoska	czasownik, przymiotnik, rzeczownik
9. pytanie	przyimek, rzeczownik, czasownik
10. mówić	bezokolicznik, przymiotnik, zaimek
11. słowo	czasownik, przymiotnik, rzeczownik
12. spółgłoska	czasownik, przymiotnik, rzeczownik
13. lektorka	rzeczownik, przymiotnik, czasownik
14. student	rodzaj męski, rodzaj żeński, rodzaj nijaki
15. studentka	rodzaj męski, rodzaj żeński, rodzaj nijaki

1 d z i ę k u j ę

1. – Proszę.
   – ....
2. Rodzaj: żeński, nijaki i ....
3. .... powtórzyć!
4. Dzień ....
5. nie ≠ ....
6. r, t, ś, ć, d, b, z, ż, ź
7. a, o, i, y, ę, ą, ó, u
8. Proszę mówić .... !
9. Nic nie ....
10. Wisła, Odra, Warta, Bug
11. Warszawa, Kraków, Wrocław, Gdańsk

Czy już to umiesz?

LEKCJA 1

SYTUACJE KOMUNIKACYJNE	pierwszy kontakt cd. • przedstawianie się • *Jak się masz? Co słychać?*
SŁOWNICTWO	liczebniki 1 – 10 • przysłówki: *świetnie, dobrze, źle, fatalnie* • adres
GRAMATYKA I SKŁADNIA	mianownik zaimków osobowych • odmiana czasowników: *być, mieć*
MATERIAŁY AUTENTYCZNE	wizytówki

Jak masz na imię?

• SŁOWNICTWO PRZEDSTAWIANIE SIĘ

Wymowa

1a Proszę obejrzeć film i przeczytać z kolegą / koleżanką dialogi.

DVD 3

KONTAKT NIEOFICJALNY

A

– Cześć. Jestem Paweł.
– Cześć. Jestem Ewa. Miło mi.

B

– Cześć. Mam na imię Beata. A ty?
– Mam na imię Anna.
– Bardzo mi miło.
– Miło mi.

C

– Cześć, jak się masz?
– Dobrze, a ty?
– Tak sobie.

D

– Cześć, co słychać?
– Wszystko w porządku, a u ciebie?
– Po staremu.

KONTAKT OFICJALNY

E

– Dzień dobry.
– Dzień dobry.
– Jak się pani nazywa?
– Nazywam się Mikulska.
– Jak ma pani na imię?
– Mam na imię Katarzyna.

F

– Dobry wieczór. Jak się pan ma?
– Dobrze. A pani?
– Świetnie.

G

– Dzień dobry, co słychać?
– Nic nowego, a u pana?
– W porządku.

PYTANIE

Jak masz na imię? // Jak ma pan / pani na imię?
Jak się nazywasz? // Jak się pan / pani nazywa?

ODPOWIEDŹ

Mam na imię Jan.

Nazywam się Kowalski.
Nazywam się Jan Kowalski.

KTO?

ja
ty
on / pan
ona / pani

CO SŁYCHAĆ?

Wszystko w porządku.
Nic nowego.
Po staremu.

A U CIEBIE / PANA / PANI?

JAK SIĘ MASZ?
JAK SIĘ PAN / PANI MA?

świetnie	☺ ☺ ☺
bardzo dobrze	☺ ☺
dobrze	☺
tak sobie	☺ ☹
źle	☹
bardzo źle	☹ ☹
fatalnie	☹ ☹ ☹

A TY / PAN / PANI?

1b **Proszę ułożyć z kolegą / koleżanką dwa dialogi: oficjalny i nieoficjalny.**

2 **Proszę zapytać kolegę / koleżankę:**

- Jak masz na imię? — Mam na imię .....
- Jak się nazywasz? — Nazywam się .....
- Jak się masz? — Mam się .....
- Co (u ciebie) słychać? — (U mnie) .....

3 **Proszę zapytać kolegę / koleżankę:**

Jak on / ona ma na imię? On / Ona ma na imię .....
Jak on / ona się nazywa? On / Ona nazywa się .....
Jak on / ona się ma? On / Ona się ma .....

Paweł Kowalski

Krzysiek Bogacki

pani Ania

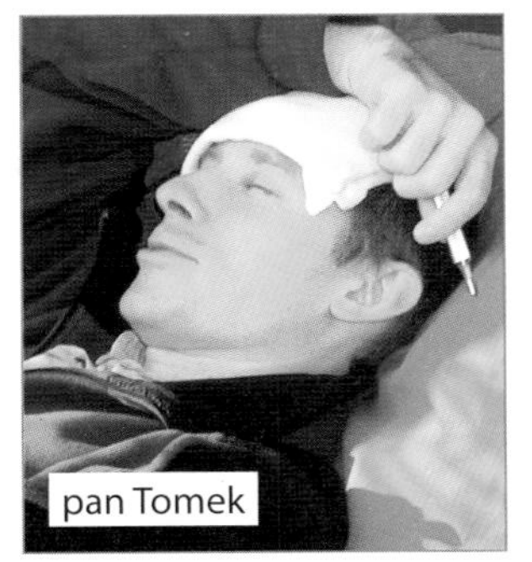
pan Tomek

Anna Dębska

Maria

Krystyna Nowak

Robert

4 **Proszę napisać jak mają na imię, jak się nazywają i jak się mają 4 osoby ze zdjęć z ćwiczenia 3.**

5a **Proszę uzupełnić dialogi, posłuchać nagrania i sprawdzić swoje odpowiedzi.**

CD 6-11

A

– .... dobry.
– Dzień dobry. ...., jak się pani nazywa?
– Nazywam .... Marta Nowak, a jak się pan .... ?
– Mam ...... imię Andrzej. Nazywam się Kowalski.
– .... mi.

B

– Cześć, ... się masz?
– .... , a ty?
– Tak ....

C

– .... wieczór.
– Dobry wieczór. Jak ma .... na imię?
– Jestem Jan. A jak ma pani na .... ?
– .... na imię Monika.

D

– Cześć. Jestem Anka, ... ty?
– Piotrek.
– Jak się nazywasz?
– .... się Wójcik.

E

– .... Marta, co u ciebie .... ?
– U mnie? Nic .... , a u ciebie?
– Też .... staremu.

F

– Dzień dobry pani, co u .... słychać?
– Dzień dobry, ... w porządku, a .... pana?
– .... , u mnie też.

Wymowa

5b **Proszę przeczytać z kolegą / koleżanką dialogi.**

SŁOWNICTWO **LICZEBNIKI**

0 zero
1 jeden
2 dwa
3 trzy
4 cztery
5 pięć
6 sześć
7 siedem
8 osiem
9 dziewięć
10 dziesięć

6 Proszę zapytać kolegę / koleżankę:

Ile jest 2+3? Ile jest 6–4? 2+3 jest ...... itd.

Wymowa

7a Proszę przeczytać na głos treść wizytówek według podanego wzoru.

– **Przepraszam, jaki numer telefonu ma pani Anna Nowak?**
– Proszę powtórzyć imię!
– **Anna.**
– Proszę powtórzyć nazwisko!
– **Nowak.**
– 61 649 64 34.
– **Jaki ona ma adres?**
– ul. Polna 10 przez 3.

Anna Nowak
ul. Polna 10/3
Poznań
Tel. 61 649 64 34

Jan Kowalski
ul. Leśna 7
Warszawa
Tel. 22 142 75 39

Andrzej Wiśniewski
al. Słoneczna 2/3, Jęczydół
Tel. 607 345 213

MARIA PUSTAJ
UL. KRÓTKA 1/9, SZCZECIN
TEL. 503 431 890

Piotr Kowalczyk
os. Szkolne 4/7, Kraków
Tel. 12 647 87 24

Małgorzata Kamińska-Wójcik
pl. Kościuszki 9, Wrocław
Tel. 694 503 001

KATARZYNA LEWANDOWSKA
al. Mickiewicza 6/10, Kraków
Tel. 12 637 32 90

(na podst. GUS, MSWGOV, EVACSKA.REPUBLIKA)

Proszę przeliterować imiona i nazwiska z wizytówek.

A Be Ce De E eF Gie Ha I Jot Ka eL eł eM eN O Pe eR eS Te U Wu Y(igrek) Zet

UWAGA!

ą/ę **z ogonkiem** ć/ó/ń/ś/ź **z kreską** ż **z kropką**

7b Proszę pracować w grupie.

Wójcik Agnieszka Żywulko Krzysztof
Kiełbasa Zielińska Lusława Szymańska
Lutomierz Krystyna Woźniak
Dąbrowski Stanisław Kozłowska
Tomasz Grzeło Jankowski Salezy

1. **Proszę zdecydować, czy to jest imię, czy nazwisko.**
2. **Które imiona i nazwiska są męskie, które żeńskie, a które uniwersalne?**
3. **Jak Pan / Pani myśli, które imiona i nazwiska są popularne, a które nie?**
4. **Czy zna Pan / Pani inne polskie imiona i nazwiska?**
5. **Jakie imiona i nazwiska są popularne w Pana / Pani kraju?**

7c Popularne adresy to np. ulica Mickiewicza, Solidarności, Jana Pawła II, Piłsudskiego, Chopina. A w Pana / Pani kraju?

W moim kraju popularne adresy to: ....

Wymowa

7d **Proszę zaprojektować 4 polskie wizytówki. Proszę przeliterować imiona i nazwiska, przeczytać adres i numer telefonu.**

• SŁOWNICTWO

8a **Proszę posłuchać nagrania i napisać liczebnik przy nazwie miasta.** CD 12

1 GDAŃSK

4 SZCZECIN

POZNAŃ 5

WARSZAWA 3

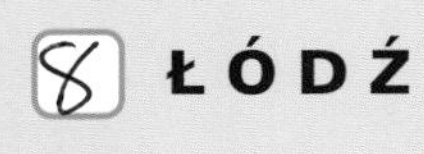

8 ŁÓDŹ

WROCŁAW 6

9 CZĘSTOCHOWA

KATOWICE 7

2 KRAKÓW

10 ZAKOPANE

Wymowa

8b **Proszę przeczytać nazwę miasta z odpowiednim liczebnikiem.**

9a **Proszę pracować z kolegą / koleżanką. Czy wie Pan / Pani, skąd on / ona jest? Za każdą poprawną odpowiedź 1 punkt.**

Skąd jest ***Lech Wałęsa***? — On jest ***z Polski***.
Skąd jest .... ? — On / ona jest ....

QUIZ CZY WIESZ, SKĄD ONI SĄ?

PUNKTY				
	b	0	Lech Wałęsa	a) z Francji
		1	Roman Polański	b) z Polski
		2	Michaił Gorbaczow	c) z Polski
		3	Pedro Almodóvar	d) z Rosji
		4	Agnieszka Holland	e) z Niemiec
		5	Angela Merkel	f) z Anglii
		6	Jean-Paul Gaultier	g) z Hiszpanii
		7	Meryl Streep	h) z Ameryki
		8	David Beckham	i) z Japonii
		9	Monica Bellucci	j) z Włoch
		10	Kenzo Takada	k) z Polski

9b **Proszę posłuchać nagrania, sprawdzić swoje odpowiedzi i policzyć, ile ma Pan / Pani punktów.** CD 13

9c **Proszę wymienić inne znane osoby z Polski i innych krajów.**

Znane osoby z Polski / z Francji / ..... to .....

• SŁOWNICTWO

10a **Proszę napisać, skąd oni są.**

Przykład: Alexandra mieszka w Londynie.
Ona jest z Anglii .

1. Ignatio mieszka w Barcelonie.
   On jest ....
2. Andreas mieszka w Berlinie.
   On jest ....
3. Pan Smith mieszka w Nowym Jorku.
   On jest ....
4. Pani Wysocka mieszka w Poznaniu.
   Ona jest ....
5. Roberto mieszka w Rzymie.
   On jest ....
6. Paul mieszka w Birmingham.
   On jest ....
7. Mami mieszka w Tokio.
   Ona jest ....
8. Tatiana mieszka w Moskwie.
   Ona jest ....
9. Nicole mieszka w Paryżu.
   Ona jest ....

10b **Proszę odpowiedzieć na pytania.**

Skąd Pan / Pani jest?
Jestem z ....

Gdzie Pan / Pani mieszka?
Mieszkam w ....

Skąd jest Pana / Pani kolega / koleżanka?
.... jest z ....

Gdzie on / ona mieszka?
.... mieszka w ....

lekcja 1

GRAMATYKA **CZASOWNIK**

11a Jakie tu są formy?

	zaimek osobowy	być	mieć	mieszkać
liczba pojedyncza	(ja)			mieszkam
	(ty)	jesteś	masz	
	/ / ono pan / pani		ma	
liczba mnoga	(my)	jesteśmy	mamy	
	(wy)	jesteście		mieszkacie
	oni / one państwo		mają	mieszkają

11b *być*

Przykład: (my) ..Jesteśmy.. z Hiszpanii.

1. Skąd (ty) Jestesz... ?
2. (ja) ..Jestem....... z Polski.
3. One .... z Niemiec.
4. Skąd (wy) Jestescie.............. ?
5. Ona ..Jest........ z Włoch.
6. (my) ..Jestesmy..... z Francji.

„Być albo nie być, oto jest pytanie"

11c *mieć*

1. Jak (ty) Masz....... na imię?
2. Oni ..maja.. problem.
3. (my) ..Mamy.......... dom w Krakowie.
4. (ja) mam.......... na imię Andrzej.
5. On ..ma.......... pytanie.
6. Czy (wy) Macie.. nowe auto?

11d *mieszkać*

1. Gdzie on .... ?
2. Michael teraz .... w Krakowie.
3. (my) .... w Poznaniu.
4. Oni .... w Gdańsku.
5. Czy (wy) teraz .... w Łodzi?
6. Teraz (ja) .... w ....

11e *oni* czy *one*?

Przykład: (Tadeusz i Andrzej) ...Oni........ są z Polski.

1. (Magda i Dominika) .... są z Polski.
2. (Agnieszka i Jacek) .... mają się dobrze.
3. (pani Kruszańska i pani Wojciechowska) .... mieszkają we Wrocławiu.
4. (Piotrek i Mariusz) .... mają komputer.
5. (pan Kamil i pani Grażyna) .... mieszkają w Warszawie.

12 Na stacji benzynowej. Prawda czy nieprawda?

CD 14

1. NIP	762-843-59-02	P / (N)
2. Kod pocztowy	31-410	P / N
3. Ulica	Plac Słowackiego 4/10	P / N
4. Nazwisko i imię	Dobra Anna	P / N
5. Numer rejestracyjny	KR 354 10	P / (N)

I **Proszę wpisać odpowiednie słowa do tabeli.**

kontakt oficjalny *odpowiedź* *pytanie✓* *kontakt nieoficjalny*

pytanie		
Jak się masz? Jak masz na imię? Jak się nazywasz? Skąd jesteś? Gdzie mieszkasz?	Jak się pan / pani ma? Jak ma pan / pani na imię? Jak się pan / pani nazywa? Skąd pan / pani jest? Gdzie pan / pani mieszka?	Dobrze. Mam na imię Jan. Nazywam się Jan Kowalski. Nazywam się Kowalski. Jestem z Polski. Mieszkam w Krakowie.

II **Proszę zrobić ankietę w grupie.**

Jak masz na imię?			
Jak się nazywasz?			
Jak się masz?			
Skąd jesteś?			
Gdzie mieszkasz?			
Jaki masz numer telefonu?			

III **Proszę przedstawić kolegę / koleżankę.**

On / ona ma na imię ..... , nazywa się ..... itd.

IV **Jaki przykład tu pasuje?**

GRAMATYKA PO POLSKU

f	0	liczba pojedyncza	a) Marta i Maria
	1	liczba mnoga	b) Andrzej, Marta i Maria
	2	bezokolicznik	c) mieszkać, być, mieć, powtórzyć
	3	zaimek osobowy	d) ja, ty, on, ona .....
	4	oni	e) jesteśmy, jesteście, są
	5	one	f) jestem, jesteś, jest

LEKCJA **2**

SYTUACJE KOMUNIKACYJNE	pytania: *Jaki on jest? Jaka ona jest?*
SŁOWNICTWO	liczebniki 11 – 23 • opis wyglądu i charakteru
GRAMATYKA I SKŁADNIA	mianownik liczby pojedynczej przymiotników i rzeczowników • rodzaj męski, żeński i nijaki • koniugacja *-m, -sz* • mówić (po)znać
MATERIAŁY AUTENTYCZNE	adresy • numery kierunkowe • nazwy województw • mapa Polski

Mam pytanie. Co to jest?

SŁOWNICTWO

CO?

1a Co to jest? To jest ..... To są .....

KTO?

1b Kto to jest? To jest .....

kawa okulary radio fotografia imię autobus telefon kino komputer lampa artysta artystka dżinsy studentka lektorka dentystka optymistka

lampa

krzesło

okno

gazeta

spodnie

stół

słońce

kino

dom

komputer

komórka telefon

książka

fotografia

radio

długopis

kawa

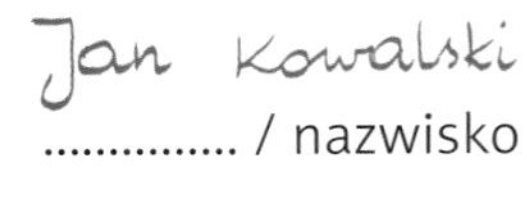
Jan Kowalski .... / nazwisko

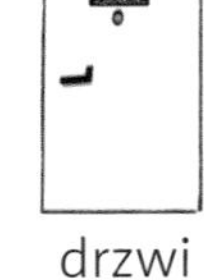
samochód

drzwi

autobus

okulary

UWAGA!

pluralia tantum! Co to jest?
To **są** drzwi.
To **są** okulary.
To **są** dżinsy.

kobieta

mężczyzna

chłopak

dziewczyna

lektor / lektorka

student / studentka

artysta / artystka

dentysta / dentystka

dziecko

optymista / optymistka

GRAMATYKA **RZECZOWNIK**

1c **Jaki rodzaj mają rzeczowniki z ćwiczenia 1a i 1b?**

MIANOWNIK: Kto? Co? liczba pojedyncza

	rodzaj męski	rodzaj żeński	rodzaj nijaki
rzeczownik KTO? CO?	-ø (spółgłoska) -a !	-a -i	-o -e -ę -um
Przykłady:	*pan* *mężczyzna*	*kawa* *pani*	*mleko* *muzeum*

lekcja 2

2a **Proszę obejrzeć film lub posłuchać nagrania i uzupełnić dialogi.**

CD 15-18 DVD 4

1

Anna: Cześć. Jak się masz?
Bogusława: Dziękuję, ..Dobrze....... . A ty?
Anna: Świetnie. Przepraszam, wiesz, ..kto.... to jest?
Bogusława: Nie wiesz?! To ..Jest............ nowy profesor. Nazywa się Gonzales.
Anna: Czy on jest z Hiszpanii?
Bogusława: Nie, on ....ma........ hiszpańskie nazwisko, ale jest z Polski. Ma na imię Andrzej.
Anna: Aha!

2

Piotr: Cześć, Ewa! Jak się masz?
Ewa: Świetnie. A ty?
Piotr: Dziękuję, dobrze. .... masz samochód?
Ewa: Nie mam. Jest w serwisie. A ty? Czy to jest twój samochód?
Piotr: Tak. Mam japoński samochód.
Ewa: .... elegancki.
Piotr: Proszę...
Ewa: Dziękuję bardzo.
Piotr: Nie wiem, gdzie mieszkasz.
Ewa: Aleja Puławska. Wiesz, gdzie to jest?
Piotr: Puławska... Puławska... Nie wiem. W .... ?
Ewa: Tak.
Piotr: Aha, tak! Puławska jest w centrum. Tak!

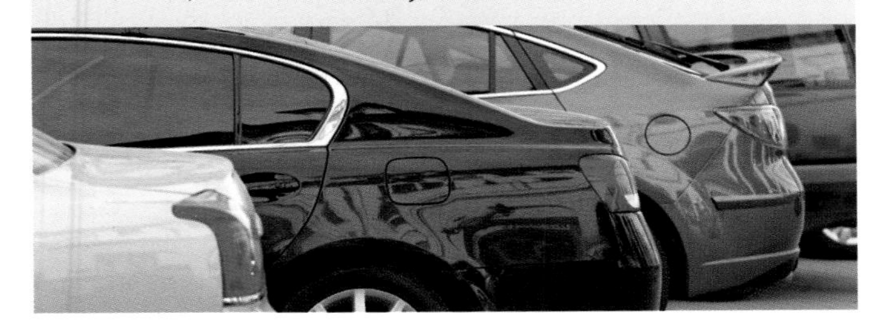

3

Policjant: Jak się pan nazywa?
Dirk: Dirk Gärtner.
Policjant: .... pan jest?
Dirk: Z Niemiec.
Policjant: Gdzie pan mieszka?
Dirk: Nie rozumiem. Proszę ....
Policjant: Czy mieszka pan w Krakowie?
Dirk: Przepraszam, nie rozumiem. Proszę .... wolniej.
Policjant: Gdzie pan mieszka? Jaki pan ma adres w Krakowie?
Dirk: Aha, rozumiem. .... w Hotelu Francuskim.

4

Studentka: Przepraszam bardzo, gdzie jest literatura francuska?
Bibliotekarka: Tam.
Studentka: .Dziękuję.......... bardzo.
Bibliotekarka: Proszę.

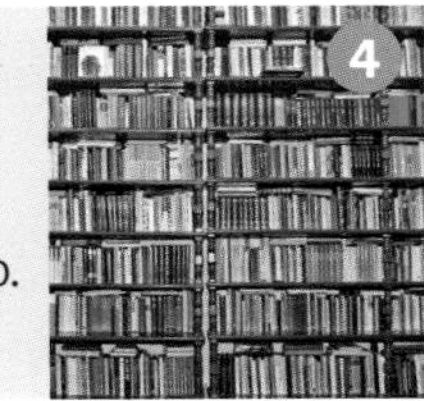

Wymowa

2b **Proszę przeczytać z kolegą / koleżanką dialogi.**

2c **Czy to prawda (P), czy nieprawda (N)?**

0. Profesor Gonzalez ma hiszpańskie imię. P / (N)
1. Profesor Gonzalez jest z Hiszpanii. P / N
2. Profesor Gonzalez ma na imię Andrzej. P / N
3. Ewa ma japoński samochód. P / N
4. Ewa mieszka w centrum. P / N
5. Ewa nazywa się Puławska. P / N
6. Pan Dirk jest z Hiszpanii. P / N
7. Pan Dirk nazywa się Francuski. P / N
8. Pan Dirk mieszka w hotelu. P / N
9. Studentka pyta, gdzie jest literatura niemiecka. P / N
10. Bibliotekarka wie, gdzie jest literatura francuska. P / N

lekcja 2

GRAMATYKA **RZECZOWNIK**

MIANOWNIK: Kto? Co? liczba pojedyncza			
	rodzaj męski	**rodzaj żeński**	**rodzaj nijaki**
Przykłady:	To jest dobr**y** komputer. To jest now**y** dom. To jest wysok**i** mężczyzn**a**.	To jest star**a** fotografi**a**. To jest nisk**a** pan**i**.	To jest now**e** okn**o**. To jest polsk**ie** imi**ę**. To jest star**e** centr**um**.
przymiotnik JAKI? JAKA? JAKIE?	**-y** nowy, stary (k, g) **-i** niski, drogi	**-a** nowa, stara, niska, droga	**-e** nowe, stare (k, g) **-ie** niskie, drogie
rzeczownik KTO? CO?	**-ø** komputer, dom **-a** ! mężczyzna, kolega	**-a** fotografia, kobieta **-i** pani	**-o** okno **-e** słońce **-ę** imię **-um** centrum

3a **Proszę uzupełnić tabelę.**

skąd?	rodzaj męski – *jaki?* polski samochód	rodzaj żeński – *jaka?* polska tradycja	rodzaj nijaki – *jakie?* polskie imię
1. z Polski	1. polski	1. polska	1. polskie
2. z Niemiec	2. niemiecki	2. niemiecka	2. niemieckie
3. z	3. francuski	3.	3. francuskie
4. z Ameryki	4. amerykański	4.	4. ....
5. z Japonii	5.	5. japońska	5. ....
6. z	6.	6.	6. włoskie
7. z Anglii	7. angielski	7.	7. ....
8. z Hiszpanii	8.	8.	8. hiszpańskie
9. z Rosji	9. rosyjski	9.	9. ....

3b **Rodzaj męski, żeński czy nijaki?**

auto, samochód, firma, restauracja, herbata, polityk, film, tradycja, kawa, imię, nazwisko, rzeka

3c **Proszę dokończyć zdania i napisać do nich pytania.**

Przykłady: Kowalski to *polskie nazwisko* . ... *Jakie to nazwisko* ?
Wisła to *polska rzeka* . ... *Jaka to rzeka* ?
Polonez to *polski samochód* . ... *Jaki to samochód* ?

1. BMW to .... ?
2. *Gladiator* to .... ?
3. Władimir Putin to.. . ... ?
4. Suzuki to .... ?
5. Microsoft to .... ?
6. Pizzeria Italiana to .... ?
7. Windsor Tea to .... ?
8. Jacobs Krönung to .... ?
9. Corrida to .... ?
10. Schulz to .... ?

SŁOWNICTWO JAKI ON JEST? JAKA ONA JEST? POLSKIE PRZYMIOTNIKI

1. wysoki Tall 2. średniego wzrostu Av Height 3. niski Short 4. gruby Fat 5. szczupły Slim

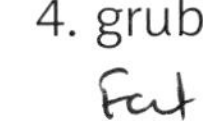

6. stary 7. w średnim wieku 8. młody 9. chory 10. zdrowy

11. wysportowany 12. wesoły 13. smutny

14. przystojny 15. ładna 16. brzydki

Jaki / jaka jesteś, a jaki / jaka nie?

Jestem .... , ... i .... ,
a nie jestem ani .... , ani ....

4a Proszę napisać antonimy.

wysoki ≠ ....
wesoły ≠ ....
młody ≠ ....

.... ≠ niewysportowany
przystojny ≠ ....
.... ≠ brzydka

.... ≠ chory
.... ≠ niemiły
.... ≠ gruby

4b Proszę zapytać kolegę / koleżankę.

Jaka jest ta dziewczyna?

Jaka jest ta kobieta?

Jaki jest ten mężczyzna?

Jakie jest to dziecko?

Jaki jest ten chłopak?

Jaki jest ten mężczyzna?

lekcja 2

5 **Proszę napisać: imię i nazwisko popularnej osoby (aktor, polityk), skąd on / ona jest i jaki on / jaka ona jest (2 przymiotniki).**

Kto?		*Skąd?*	*Jaki on jest? / Jaka ona jest?*		
Pan Sherlock Holmes	jest z	Anglii.	On jest wysoki	i	przystojny.
Pani	jest z	....	Ona jest	i	....
Pani	jest z	....	Ona jest	i	....
Pan	jest z	....	On jest	i	....
Pan	jest z	....	On jest	i	....

lekcja 2

SŁOWNICTWO

6 **Proszę połączyć antonimy.**

b	0 wysoki	a) wesoły	
C	1 ładna	b) niski	
H	2 szczupły	c) brzydka	
F	3 młody	d) brzydki	
D	4 przystojny	e) niewysportowany	
E	5 wysportowany	f) stary	
A	6 smutny	g) niemiły	
G	7 miły	h) gruby	
I	8 chory	i) zdrowy	

7a **Proszę posłuchać nauczyciela i zaznaczyć w poniższych słowach, na którą sylabę pada akcent.**

ambitny – inteligentny – kreatywny – agresywny
aktywny – sentymentalny – racjonalny
emocjonalny – naturalny – romantyczny
sympatyczny – spontaniczny – energiczny
zestresowany – zrelaksowany – sfrustrowany
utalentowany – naiwny – systematyczny
sceptyczny – optymistyczny – pesymistyczny
szarmancki – elegancki – arogancki – idealny
atrakcyjny – artystyczny – subtelny – oryginalny
krytyczny – tolerancyjny – egoistyczny – altruistyczny

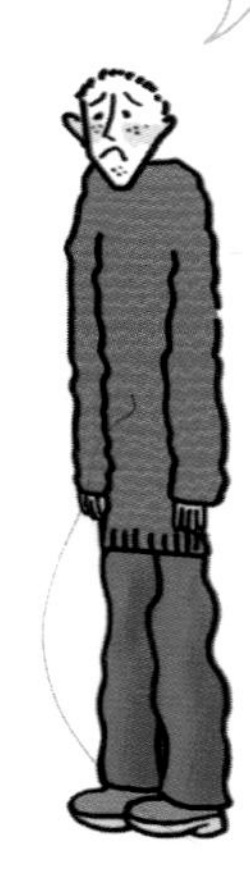

Wymowa

7b **Proszę powtórzyć powyższe słowa za nauczycielem.**

7c **Proszę wybrać przymiotniki z ćwiczenia 7a i uzupełnić zdania.**

Jestem: .... , ... , ...

Nie jestem ani .... , ani .... , ani ....

lekcja 2

GRAMATYKA **CZASOWNIK**

8a Proszę uzupełnić tabelę.

To understand

KONIUGACJA: -m, -sz

po polsku	mieć	rozumieć	przepraszać	czytać	pytać	mieszkać
w Pana / Pani języku	To have	To understand	To Apologise (excuse me)	To Read	To write	to live
(ja)	ma**m**	rozumie**m**	przeprasza**m**	Czytam	Pytam	mieszkam
(ty)	Masz	Rozumiesz	Przepraszasz	Cytasz.	Pytasz	mieszkasz
on / ona / ono pan / pani	Ma	Rozumie	przeprasza	Czyta.	Pyta.	Mieszka
(my)	ma**my**	Rozumiemy	Przepraszamy	czyta**my**	Pytamy	mieszkamy
(wy)	Macie	rozumie**cie**	Przepraszacie	Czytacie	pyta**cie**	mieszkacie
oni / one państwo	Mają	Rozumieją	przeprasza**ją**	czyta**ją**	Pytają,	mieszkają

8b Proszę wpisać zaimki osobowe.

Przykład: ......*On*...... czyta tekst.
1. ...ona....... nie rozumie.
2. ...My....... mieszkamy w Krakowie.
3. Gdzie ....ty....... mieszkasz?
4. oni.......... pytają.
5. ....Ja........ czytam gazetę.
6. ...Ja......... mieszkam w centrum.
7. Jak ....wy....... się nazywacie?
8. ...Ja.......... przepraszam.
9. ....Ja.......... nie rozumiem.
10. ...ty......... nie rozumiesz?
11. Ona........ ma na imię Aneta.
12. ...Wy......... nazywa się Kowalski.

8c Proszę utworzyć właściwą formę czasownika.

1. Gdzie (ty) ....Mieszkasz.............................. ? (mieszkać)
2. Gdzie oni ....Mieszkają.............................. ? (mieszkać)
3. Co pan ....Czyta.............................. ? (czytać)
4. Jak (wy) się ....Nazywacie.............................. ? (nazywać)
5. (my) ....Czytamy.............................. gazetę. (czytać)
6. On ....Pyta.............................. . (pytać)
7. (ja) Nie ....Rozumiem.............................. . (rozumieć)
8. Co państwo ....Czytają.............................. ? (czytać)
9. Jak się pani ....Ma.............................. ? (mieć)
10. (ja) ....Mieskam.............................. w centrum. (mieszkać)
11. Czy państwo ....Mieszkają...... w Warszawie? (mieszkać)
12. Gdzie ona ....Mieska.............................. ? (mieszkać)

SŁOWNICTWO **LICZEBNIKI**

9a **Proszę dopisać do liczby właściwy liczebnik.**

11 ...*jedenaście*...
12 ....
13 ....
14 ....
15 ...*piętnaście*...
16 ....
17 ....
18 ....
19 ....
20 ....
21 ....
22 ....
23 ....

- ☐ szesnaście
- ☐ dziewiętnaście
- ☑ jedenaście
- ☐ dwadzieścia
- ☐ czternaście
- ☑ piętnaście
- ☐ osiemnaście
- ☐ trzynaście
- ☐ dwanaście
- ☐ dwadzieścia jeden
- ☐ dwadzieścia trzy
- ☐ dwadzieścia dwa
- ☐ siedemnaście

Wymowa

9b **Proszę powtórzyć za nauczycielem powyższe słowa.**

GRAMATYKA **CZASOWNIK**

10a **Proszę dopisać właściwe przymiotniki z ramki do podanych adresów.**

Narodowe
projektowe ✓
włoska Europejska
Europejski medyczne
Kredytowy językowa
turystyczne
dentystyczny

rodzaj		
0. *nijaki*	Biuro *projektowe* „ARCH-STUDIO"	ul. Królewska 23/9
1.	Hotel	ul. Długa 19
2.	Restauracja .... „BONA"	os. Konopnickiej 13/2
3.	Szkoła .... „LINGUA"	ul. Felicjańska 19/4
4.	Bank	pl. Kościuszki 21/1a
5.	Gabinet .... „DENTUS"	os. Kolorowe 11/10
6.	Biuro .... „POL-TUR"	al. Kopernika 15/7
7.	Muzeum	al. Słowackiego 12
8.	.... Fundacja Kultury	pl. Sobieskiego 16/4
9.	Centrum	ul. Poznańska 14

Wymowa

10b **Proszę przeczytać na głos adresy.**

POŁĄCZENIA MIĘDZYMIASTOWE

11a **Proszę zapytać kolegę / koleżankę:**

– Jaki jest numer kierunkowy do Krakowa?
– Proszę powtórzyć. Dokąd?
– Do Krakowa.
– 12.
– Dziękuję.

DOKĄD?	WOJ.*	NR KIER.
do Czchowa	MŁP	14
do Jasła	PDK	13
do Krakowa	MŁP	12
do Kutna	ŁDZ	24
do Łańcuta	PDK	17
do Łukowa	LUB	25
do Makowa	MAZ	29
do Przemyśla	PDK	16
do Rzeszowa	PDK	17
do Sandomierza	SWK	15
do Tarnowa	MŁP	14
do Warszawy	MAZ	22
do Wieliczki	MŁP	12
do Zakopanego	MŁP	18

11b **Ile jest w Polsce województw? Jak nazywają się stolice województw? Proszę znaleźć nazwy w internecie.**

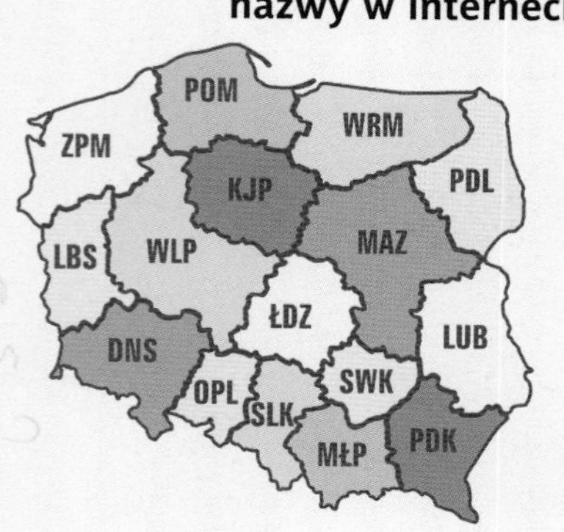

*** objaśnienia skrótów nazw województw**

DNS	dolnośląskie
KJP	kujawsko-pomorskie
LUB	lubelskie
LBS	lubuskie
ŁDZ	łódzkie
MŁP	małopolskie
MAZ	mazowieckie
OPL	opolskie
PDK	podkarpackie
PDL	podlaskie
POM	pomorskie
SLK	śląskie
SWK	świętokrzyskie
WRM	warmińsko-mazurskie
WLP	wielkopolskie
ZPM	zachodniopomorskie

12a Gdzie oni mieszkają? Proszę posłuchać nagrania i uzupełnić adresy.

CD 19

imię i nazwisko		adres
1. Agnieszka Walczewska	....	Armii Krajowej 20/.....................
2. Maciej Korbielski	....	Warszawska 9/ ....
3. Izabela Budzyńska	....	Kazimierza Wielkiego 12/ ....
4. Zbigniew Bugajski	....	Mickiewicza ....

Wymowa

12b Proszę porównać swoje odpowiedzi z odpowiedziami kolegi / koleżanki, a następnie przeczytać na głos prawidłowe odpowiedzi.

GRAMATYKA PO POLSKU

I Proszę połączyć terminy gramatyczne z właściwymi przykładami.

c	0 przymiotnik – rodzaj męski	a) kawa, woda, szkoła
☐	1 bezokolicznik	b) wiem, rozumiesz, mieszkasz
☐	2 rzeczownik – rodzaj żeński	c) angielski, niemiecki
☐	3 rzeczownik – rodzaj nijaki	d) poeta, mężczyzna, dom
☐	4 czasownik – liczba pojedyncza	e) mieszkać, mieć, być, rozumieć
☐	5 rzeczownik – rodzaj męski	f) muzeum, słońce, kino
☐	6 mianownik odpowiada na pytanie	g) Kto? Co?

II Proszę uzupełnić pytania i napisać odpowiedzi.

pytanie	odpowiedź
1. .... mieszkasz?	....
2. .... to jest?	*To jest dom.*
3. .... się nazywasz?	....
4. .... to jest?	*To jest pani Maria.*
5. .... to jest dobra książka?	*Nie, to nie jest dobra książka.*
6. .... jesteś?	....
7. .... się masz?	....
8. .... jest 2+7?	....
9. .... masz numer telefonu?	....
10. .... masz na imię?	....

III Jaki rodzaj mają te słowa?

ideał, metoda, reżyser, wino, muzeum, metro, aspiryna, kontakt, forum, klimat, kosmos, cywilizacja, higiena, etyka, religia, krokodyl, centrum, archiwum, planetarium, filozofia, oregano, akwarium, organizacja, portal, limit, motto, bonus, moda, rabat, integracja, emocja, egoista, egoistka, altruista, altruistka, tenis, żyrafa, sport, dialog, auto, embargo, poezja, medium, agent, kino, syrop, opera, radio, alkohol, ryzyko, ranczo, komedia, kakao

IV Proszę uzupełnić tabelę.

Rodzaj męski	Rodzaj żeński	Rodzaj nijaki
idealny		
	naturalna	
		agresywne
optymistyczny		
	wysportowana	
		subtelne
systematyczny		
	zestresowana	
		zrelaksowane

Czy już to umiesz?

LEKCJA 3

SYTUACJE KOMUNIKACYJNE	pytanie • przedstawianie się cd.
SŁOWNICTWO	narodowości • zawody i zajęcia • języki obce
GRAMATYKA I SKŁADNIA	narzędnik liczby pojedynczej i mnogiej przymiotników i rzeczowników • koniugacja *-ę, -isz/-ysz*
MATERIAŁY AUTENTYCZNE	teleturniej • czat w internecie

Kim jesteś?

• SŁOWNICTWO KIM JESTEŚ?

CD 20 **1a Proszę posłuchać i zdecydować, kto to mówi.**

c 1 Jestem Yoko.
2 Mam na imię Andreas.
3 Nazywam się Blanche Dubois.
4 Jestem Janek.
5 Mam na imię Roberto.

a) Jestem z Polski. Jestem Polakiem. Mówię po polsku i po angielsku. Znam też trochę język rosyjski. To jest Władimir. On jest Rosjaninem. Mówi po rosyjsku i po polsku.

b) Jestem Francuzką. Jestem z Francji i mówię po francusku. Znam też włoski.

c) Jestem Japonką i mówię po japońsku. Znam też język angielski.

d) Jestem Niemcem i mówię po niemiecku. To jest Eva. Ona też jest z Niemiec. Ona mówi po niemiecku i po hiszpańsku. Zna też trochę polski.

e) Jestem Włochem. To jest Sophie. Ona też jest z Włoch. Mówimy po włosku. Sophie zna też francuski. Ja nie mówię po francusku, ale znam niemiecki.

1b Proszę odpowiedzieć na pytania.

1. Skąd jest Janek?
2. Czy Janek mówi po polsku?
3. Skąd jest Władimir?
4. Jakimi językami mówi Władimir?
5. Jak ma na imię kobieta z Francji?
6. Jaki jest język ojczysty Yoko?
7. Jakie języki obce zna Eva?
8. Skąd są Andreas i Eva?
9. Czy Roberto mówi po francusku?
10. Kto mówi po francusku?

GRAMATYKA

2a **Proszę uzupełnić tabelkę słowami z ćwiczenia 1.**

Mianownik: Kto to jest?		Narzędnik: Kim on / ona jest?			
To jest...		On jest...	Ona jest...	Zna język...	Mówi...
mężczyzna	*kobieta*				
Amerykanin	Amerykanka	Amerykaninem	Amerykanką	angielski	po angielsku
Hiszpan	Hiszpanka	Hiszpanem	Hiszpanką	hiszpański	
Polak	Polka		Polką		
Niemiec	Niemka		Niemką		
Francuz	Francuzka	Francuzem		francuski	
Anglik	Angielka	Anglikiem	Angielką		
Rosjanin	Rosjanka		Rosjanką		
Włoch	Włoszka		Włoszką		
Japończyk	Japonka	Japończykiem		japoński	

2b **Proszę odpowiedzieć na pytania.**

- **Jak masz na imię?** Mam na imię ....
- **Jak się nazywasz?** Nazywam się ....
- **Skąd jesteś?** Jestem z ....
- **Kim jesteś?** Jestem ....
- **Jaki jest twój język ojczysty?**
  Mówię po .... To mój język ojczysty.
- **Jakie znasz języki obce?**
  Znam język .... i ....
- **Czy mówisz po polsku?**
  Tak, trochę mówię .... polsku.

3a **Czy wiedzą Państwo, kim są te osoby? Proszę porozmawiać z kolegą / koleżanką. Za każdą poprawną odpowiedź 1 punkt.**

Czy wiesz, kim jest ***Krystyna Janda***? Tak, ona jest ***polską aktorką***. / Nie, nie wiem, kim ona jest.

QUIZ CZY WIESZ, KIM ONI SĄ?

PUNKTY				
	b	0	Krystyna Janda	a) amerykańskim artystą
		1	Catherine Deneuve	b) polską aktorką
		2	David Cameron	c) niemieckim sportowcem
		3	Bob Dylan	d) francuską aktorką
		4	Monica Bellucci	e) włoską aktorką
		5	Katarzyna Kozyra	f) polską artystką
		6	Philipp Lahm	g) angielskim politykiem
		7	Brad Pitt	h) polskim reżyserem
		8	Robert Lewandowski	i) hiszpańskim reżyserem
		9	Pedro Almodóvar	j) polskim sportowcem
		10	Jerzy Skolimowski	k) amerykańskim aktorem

3b **Proszę posłuchać, sprawdzić swoje odpowiedzi i policzyć, ile ma Pan / Pani punktów.**

CD 21

3c **Proszę pracować w grupie. Proszę ułożyć podobny quiz.**

GRAMATYKA **RZECZOWNIK**

NARZĘDNIK: Kim? Czym? liczba pojedyncza

	rodzaj męski	rodzaj żeński	rodzaj nijaki
Przykłady:	On jest: dobr**ym** nauczyciel**em**, sympatyczn**ym** Polak**iem**, wysok**im** mężczyz**ną**.	Ona jest: dobr**ą** nauczycielk**ą**, wysok**ą** kobiet**ą**, sympatyczn**ą** pani**ą**.	Kasia jest sympatyczn**ym** dzieck**iem**. Interesuję się dobr**ym** kin**em**.
przymiotnik JAKIM? JAKĄ? JAKIM?	**-ym** dobr**ym**, sympatyczn**ym** (k, g) **-im** wysok**im**	**-ą** dobr**ą**, sympatyczn**ą**, wysok**ą**	**-ym** dobr**ym**, sympatyczn**ym** (k, g) **-im** wysok**im**
rzeczownik KIM? CZYM?	**-em** nauczyciel**em** (k, g) **-iem** Polak**iem** **-ą** ♂! mężczyzn**ą**	**-ą** nauczycielk**ą**, kobiet**ą**, pani**ą**	**-em** kin**em** (k, g) **-iem** dzieck**iem**

UWAGA!

-e/-ie:Ø
minist**e**r – ministrem
Niem**ie**c – Niemcem
centrum – centrum

Pan Kowalski jest ***sympatyczny***.

Pan Kowalski to ***sympatyczny Polak***.

Jan Kowalski jest ***sympatycznym Polakiem.***

4 **Proszę podkreślić właściwą formę.**

Przykład: Marta jest szczupłą dziewczyną / szczupła dziewczyna.

1. Jędruś jest sympatycznym dzieckiem / sympatyczne dziecko.
2. „Żywiec" to polskim piwem / polskie piwo.
3. Kraków jest polskim miastem / polskie miasto.
4. Adam jest wysportowanym mężczyzną / wysportowaną mężczyzną.
5. Iza jest wysportowaną kobietą / wysportowana kobieta.
6. Stanisław Barańczak jest dobrym poetą / dobrą poetą.
7. Ewa Lipska to dobrą poetką / dobra poetka.
8. Pan doktor Wojtasiński jest świetnym dentystą / świetną dentystką.
9. Ewa jest wysoka kobieta / wysoką kobietą.
10. Katarzyna to sympatyczna nauczycielka / sympatyczną nauczycielką.

5 Narzędnik – liczba pojedyncza.

Przykład: On jest *młodym profesorem* .... (młody profesor)

1. Wojtek jest .... (ambitny student)
2. Pani Kotarbińska jest .... (ładna kobieta)
3. On jest .... (aktywny biznesmen)
4. Kaśka jest .... (dobra studentka)
5. Ten doktor jest .... (dobry dentysta)
6. Ignatio jest .... (sympatyczny mężczyzna)
7. Andrzej jest .... (przystojny mężczyzna)
8. Ruth jest .... (interesująca kobieta)
9. Cornelia jest .... (dobra nauczycielka)
10. Roman jest .... (energiczny Polak)

Oni są Francuzami.

Oni są Francuzami.

One są Francuzkami.

NARZĘDNIK: Kim? Czym? liczba mnoga

	rodzaj męski	rodzaj żeński	rodzaj nijaki
Przykłady:	Oni są ambitn**ymi** student**ami**.	One są ambitn**ymi** studentk**ami**.	Interesuję się polsk**imi** i europejsk**imi** miast**ami**.

przymiotnik JAKIMI?		**-ymi** (k, g) **-imi**	ambitn**ymi** europejsk**imi** polsk**imi**
rzeczownik KIM? CZYM?		**-ami**	student**ami** studentk**ami** miast**ami**

UWAGA!
dziecko – dziećmi

6 Narzędnik – liczba mnoga.

Przykład: Wojtek i Andrzej są *ambitnymi studentami* .... (ambitny student)

1. Paulina i Kasia są .... (ambitna studentka)
2. One są .... (sympatyczna Włoszka)
3. Robert i Paweł są .... (wysoki mężczyzna)
4. Oni są .... (wesoły Francuz)
5. Interesujesz się .... ? (amerykański film)
6. Interesujecie się .... ? (japoński samochód)
7. Oni interesują się .... (rosyjskie miasto)
8. One interesują się .... (język obcy)
9. Adaś i Marta są .... (sympatyczne dziecko)
10. Interesujemy się .... (różna kultura i religia)

SŁOWNICTWO ZAWODY I ZAJĘCIA

7 Kim pan / pani jest z zawodu?

inżynier

rolnik

....

....

....

lekarka

....

....

emerytka

....

urzędniczka

....

....

dziennikarka

kierowca

....

nauczyciel student architekt
fotograf muzyk biznesmen
kelner dentysta bezrobotny

ZAWODY

Kim pan / pani jest z zawodu?

mężczyzna	kobieta
nauczyciel	nauczycielka
aktor	aktorka
kelner	kelnerka
fotograf	fotografka
poeta	poetka
dentysta	dentystka
artysta	artystka
dziennikarz	dziennikarka
lekarz	lekarka
urzędnik	urzędniczka
rolnik	rolniczka
biznesmen	bizneswoman

architekt
muzyk
inżynier
profesor
prezydent
minister
kierowca

ZAJĘCIA

student / studentka
bezrobotny / bezrobotna
emeryt / emerytka

jeszcze nie pracuje
teraz nie pracuje
już nie pracuje

8a **Proszę obejrzeć film z ankietą uliczną i zdecydować, kim są te osoby.**

DVD 5

informatykiem	
lekarką	*architektem*
studentem	*biznesmenem*
fotografem	*nauczycielką*
emerytem	*bezrobotna*

DZIENNIKARKA **pyta:**

Kim pan / pani jest z zawodu?

Przykład: **Marek:** Z zawodu? Jeszcze nie pracuję. Jestem *studentem* . Studiuję ekonomię w Krakowie.

1. **Andrzej:** Jestem .... i .... Mam firmę komputerową w Warszawie. Pracuję bardzo dużo.
2. **Aleksandra:** Teraz nie pracuję. Jestem ....
3. **Joanna:** Jestem .... Pracuję w szpitalu.
4. **Melanie:** Jestem .... Jestem z Niemiec i uczę języka niemieckiego. Pracuję w szkole językowej. Dzisiaj moja grupa ma test!
5. **Mateusz:** Jestem .... Projektuję domy.
6. **Pan Stefan:** Jestem .... – już nie pracuję, ale z zawodu jestem inżynierem.
7. **Paweł:** Jestem .... Mam studio fotograficzne.

8b **Proszę obejrzeć film i napisać, kim oni są z zawodu.**

DVD 6

1. **Renata:** Z zawodu jestem .... Pracuję w klinice dentystycznej.
2. **Robert:** Jestem .... Mieszkam i pracuję na wsi.
3. **Aneta:** Kim jestem z zawodu? .... piszę artykuły i felietony do gazety.
4. **Dariusz:** Jestem .... Mam prywatny gabinet dentystyczny.
5. **Agnieszka:** Jestem jeszcze .... Bardzo interesuję się muzyką jazzową, studiuję na Akademii Muzycznej w Gdańsku.
6. **Bożena:** Jestem .... Pracuję w restauracji.
7. **Witold:** To mój samochód. Jestem ....

9a **Proszę posłuchać fragmentu teleturnieju *Szansa na milion* i uzupełnić informacje o kandydatach.**

CD 22

Kto mówi? Imię i nazwisko	Kim jest?	Gdzie mieszka?	Co robi?	Czym się interesuje?
Wojciech Brzeziński		w Warszawie		historią i...
Marta Kaliszewska		w Krakowie	już nie pracuje	
Krystyna Wesoła			pracuje w Urzędzie Miasta	
Andrzej Kowalski		w Poznaniu		

9b **Proszę porównać swoje odpowiedzi z odpowiedziami kolegi / koleżanki, a następnie przedstawić kandydatów.**

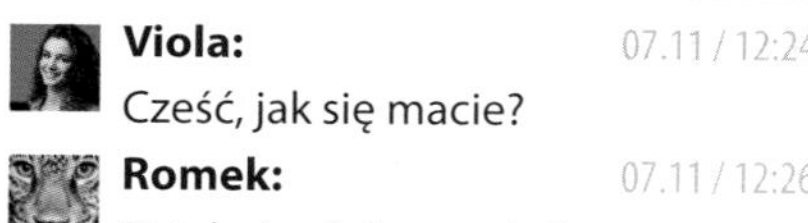

Wymowa

10a **Proszę przeczytać dialog z internetu.**

Viola: 07.11 / 12:24
Cześć, jak się macie?

Romek: 07.11 / 12:26
Dziękuję, dobrze, a ty?

Piotrek: 07.11 / 12:26
Świetnie, a ty?

Viola: 07.11 / 12:27
Tak sobie.

Romek: 07.11 / 12:27
Dlaczego?

Viola: 07.11 / 12:27
Jestem smutna. ☹

Romek: 07.11 / 12:28
Dlaczego?

Viola: 07.11 / 12:30
Mam problem. Nie rozumiem gramatyki języka polskiego.

Romek: 07.11 / 12:30
Ja też nie. ☺

Piotrek: 07.11 / 12:30
A ja rozumiem – masz pytanie?

Leszek: 07.11 / 12:30
O nie..., mówicie o gramatyce? Dlaczego? Nie

Viola: 07.11 / 12:31
Uczę się polskiego, ale nie rozumiem gramatyki.

Leszek: 07.11 / 12:31
Dlaczego uczysz się polskiego? Skąd jesteś?

Viola: 07.11 / 12:32
Jestem z Hiszpanii.

Piotrek: 07.11 / 12:33
Dlaczego uczysz się polskiego? Pracujesz w Polsce?

Viola: 07.11 / 12:34
Uczę się polskiego, bo teraz mieszkam i studiuję w Polsce.

Leszek: 07.11 / 12:34
Studiujesz po polsku?

Viola: 07.11 / 12:34
Studiuję europeistykę w Warszawie, ale nie po polsku. To są studia po angielsku.

Piotrek: 07.11 / 12:35
Mówisz po angielsku? Znasz polski, angielski i...?

Viola: 07.11 / 12:35
Znam hiszpański, dobrze angielski i trochę niemiecki, ale mówię słabo po polsku. Mam problemy z gramatyką.

Leszek: 07.11 / 12:36
Ja nie lubię gramatyki!!! Viola! Jaka jesteś? Wysoka, niska?

Viola: 07.11 / 12:37
Nie jestem ani wysoka, ani niska, jestem średniego wzrostu, a wy?

Leszek: 07.11 / 12:37
Ja jestem niski, trochę gruby, ale bardzo sympatyczny. I młody! ☺

Romek: 07.11 / 12:38
Ja jestem wysportowany – interesuję się sportem. Jestem też szczupły i wysoki. Wszyscy mówią, że jestem bardzo przystojny. ☺

Piotrek: 07.11 / 12:38
Ja jestem inteligentny i jestem świetnym informatykiem. ☺

Viola: 07.11 / 12:40
Ach..., to bardzo interesujące...

10b **Proszę pracować z kolegą / koleżanką. Proszę zdecydować, czy to prawda (P), czy nieprawda (N). Dlaczego?**

To prawda / nieprawda, bo on / ona mówi:

„...".

Przykład: Viola ma się świetnie.
To nieprawda, bo ona mówi „tak sobie" i „jestem smutna".

1. Viola jest Hiszpanką. P / N
2. Viola uczy się polskiego, bo studiuje polonistykę. P / N
3. Viola teraz pracuje w Warszawie. P / N
4. Viola studiuje po polsku. P / N
5. Viola mówi po hiszpańsku, po angielsku i po niemiecku. P / N
6. Piotrek jest nauczycielem. P / N
7. Leszek lubi gramatykę. P / N
8. Viola jest wysoka. P / N
9. Leszek jest młody. P / N
10. Romek interesuje się sportem. P / N

10c **Proszę pracować w grupie. Proszę napisać i przeczytać analogiczny dialog internetowy: „Język polski".**

lekcja 3

GRAMATYKA CZASOWNIK

11a **Proszę uzupełnić tabelkę na podstawie dialogu z internetu lub utworzyć analogiczne formy.**

KONIUGACJA: -ę, -isz / -ysz

po polsku	mówić	lubić	robić	uczyć się	tańczyć
w Pana / Pani języku					
(ja)		lubię			tańczę
(ty)			robi**sz**		tańczy**sz**
on / ona / ono pan / pani	mówi	lubi	robi	uczy się	tańczy
(my)	mówi**my**	lubi**my**	robi**my**	uczy**my** się	tańczy**my**
(wy)		lubi**cie**			tańczy**cie**
oni / one państwo		lubią	robią	uczą się	tańczą

GRAMATYKA PO POLSKU

Co to jest?

☐ **1** mówić
☐ **2** mówią
☐ **3** mówię
☐ **4** one

a) liczba pojedyncza
b) liczba mnoga
c) bezokolicznik
d) zaimek osobowy

11b Proszę uzupełnić zdania.

Przykład: Czy (ty)........*mówisz*.......... po polsku? (mówić)

1. Czy pan .... dobrze po polsku? (mówić)
2. (ja) .... trochę po polsku. (mówić)
3. Czy oni .... sport? (lubić)
4. Czy Barbara .... języka polskiego? (uczyć się)
5. Moja dentystka świetnie .... sambę. (tańczyć)
6. (my) Bardzo .... kino. (lubić)
7. One nie .... muzyki techno. (lubić)
8. Co (ty) teraz .... ? (robić)
9. (ja)................................ języka polskiego w Krakowie. (uczyć się)
10. Oni świetnie .... (tańczyć)
11. Ona bardzo .... literaturę. (lubić)
12. (ja) .... literaturę francuską. (lubić)
13. One nie .... po rosyjsku. (mówić)
14. (my) .... po francusku. (mówić)
15. (ja) .... po .... To mój język ojczysty. (mówić)

Czy już to umiesz?

I Proszę uzupełnić zdania.

(Stereo)typowy Polak?

Cześć. Mam na imię Krzysztof. Jestem młodym i aktywny.... Polak.... z Krakowa. Jestem ambitn..... ekonomistą – pracuję ..... banku. Interesuję się amerykańskimi samochod......., japońsk....... filmami i piękn...... kobiet..... . ... się języka angielskiego. Znam też .... język niemiecki.

Moja dziewczyna ma na imię Kasia. Jest Polk.... . Ona jest bardzo inteligentn.... . Studiuje kulturoznawstwo na uniwersytecie. Jest piękn.... blondynk.... . Interesuje się muzyk.... klasyczn.... i polityk.... europejsk.... . Mówi .... angielsku. Zna też dobrze .... hiszpański.

II Proszę odpowiedzieć na pytania do tekstu.

Krzysztof

1. Skąd jest?..
2. Kim jest z zawodu?..
3. Jaki jest? ....
4. Co robi?...
5. Czy ma dziewczynę?...
6. Czym się interesuje? ....
7. Czy mówi po angielsku?...

III Proszę napisać 7 pytań do tekstu.

Kasia

1. ....?
2. ....?
3. ....?
4. ....?
5. ....?
6. ....?
7. ....?

LEKCJA 4

To jest moja rodzina

SYTUACJE KOMUNIKACYJNE	*Ile masz lat? Jaki masz adres e-mailowy?* • Moja rodzina
SŁOWNICTWO	liczebniki 20 – 100 • adres internetowy • rodzina
GRAMATYKA I SKŁADNIA	lat – lata • zaimki dzierżawcze w mianowniku • biernik liczby pojedynczej rzeczowników, przymiotników i zaimków
MATERIAŁY AUTENTYCZNE	adres e-mailowy • drzewo genealogiczne • program radiowy

• SŁOWNICTWO

1a **Czy Pan / Pani pamięta? Proszę dopasować liczby 1 – 19 do słów.**

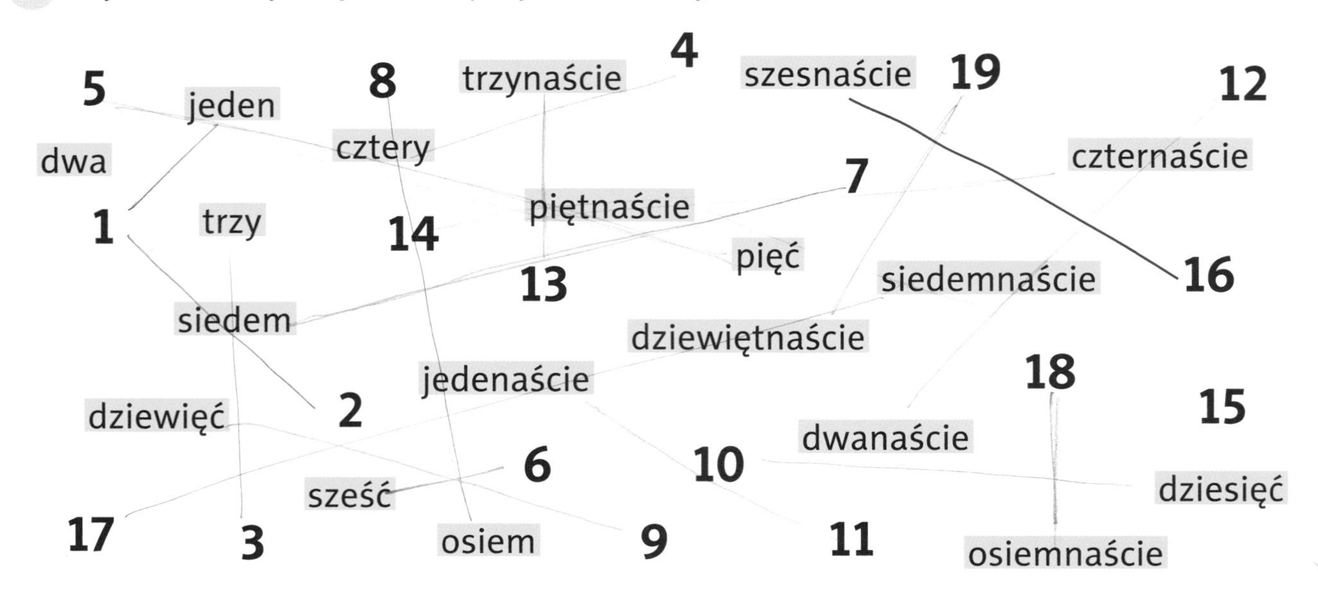

LICZEBNIKI 20 – 100

Wymowa

1b **Proszę przeczytać na głos liczby.**

20	dwadzieścia	
30	trzy**dzieści**	...dzieści
40	czter**dzieści**	
50	pięć**dziesiąt**	...dziesiąt
60	sześć**dziesiąt**	
70	siedem**dziesiąt**	
80	osiem**dziesiąt**	
90	dziewięć**dziesiąt**	
100	sto	
101	sto jeden, ...	
199	sto dziewięćdziesiąt dziewięć	

Wymowa

1c **Ile jest ..... ? Proszę przeczytać na głos poprawne odpowiedzi.**

a	100–75=	piętnaście
b	65–50=	dziesięć
c	170+20=	sto trzydzieści
d	40–30=	dwadzieścia pięć
e	98+32=	sto dziewięćdziesiąt

Wymowa

1d CD 23 **Co mówi lektor? Proszę posłuchać nagrania dwa razy, a następnie przeczytać na głos poprawne odpowiedzi.**

25	40	69	99	50	40	88	155	100	9
15	34	16	19	15	30	70	110	117	10
20	44	60	90	55	99	80	115	107	20

Wymowa

1f **Pana / Pani kolega / koleżanka z grupy podaje 4 dowolne liczby. Proszę je zapisać.**

a) ....
b) ....
c) ....
d) ....
e) ....
f) ....
g) ....
h) ....

Wymowa

1e CD 24 **Proszę posłuchać nagrania i uzupełnić, jakie to liczby. Proszę przeczytać na głos poprawne odpowiedzi.**

Przykład: trzy dzieści

a) dwa..
b) pięć..
c) dziewięć..
d) pięt..
e) czter..
f) dwa..
g) sześć..
h) siedem..
i) siedem..

lekcja 4

JAKI MASZ ADRES E-MAILOWY?

2a **Proszę odpowiedzieć na pytania.**

a) Maciej interesuje się religią, samochodami czy sportem?
b) Ile lat ma osoba, która interesuje się religią? To kobieta czy mężczyzna?
c) Jak ma na imię kobieta, która interesuje się literaturą?
d) Skąd jest mężczyzna, który interesuje się samochodami?
e) Ile lat ma mężczyzna, który interesuje się językami obcymi?
f) Skąd jest kobieta, która lubi muzykę i ile ma lat?
g) Czy mężczyzna, który lubi języki obce, mówi po niemiecku?
h) Ile lat ma Kasia?

Wymowa

2b **Jakie adresy e-mailowe mają osoby z ćwiczenia 2a? Proszę je przeczytać na głos.**

2c **Praca z kolegą / koleżanką: Jaki masz adres e-mailowy?**

Imię	Jaki masz e-mail?

http://www.klub-dyskusyjny.pl

Lubisz muzykę? Interesujesz się sportem?

Zapisz się do naszej grupy! Dyskutuj po polsku, angielsku, niemiecku, francusku!

Zapisz się do newslettera! f

@ małpa
. kropka
/ ukośnik
- myślnik
_ podkreślenie

SPORT
Maciej, Polska, 17 lat *maciek_priv@gmail.com*
Chris, Wielka Brytania, 21 lat *chris197@yahoo.co.uk*

MUZYKA
Brigitta, Niemcy, 24 lata *brigiti@hotmail.de*
Karol, Czechy, 33 lata *praga-ja@seznam.cz*

LITERATURA
Antonio, Grecja, 43 lata *antonio.carlo@hotbot.gr*
Katia, Rosja, 52 lata *katarina134@yandex.ru*

JĘZYKI OBCE
Enzo, Włochy, 20 lat włoski, angielski, polski. *enzoitalia@altavista.it*
Lena, Ukraina, 18 lat ukraiński, rosyjski, polski, niemiecki. *lena_uni@gwdg.de*

SAMOCHODY
Bela, Węgry, 19 lat *bela101@index.hu*

FILM
Claire, Francja, 56 lat *claire-paris@gmail.fr*
Atje, Holandia, 22 lata *natje_rin@nu.nl*

SZUKAM DZIEWCZYNY CHŁOPAKA
Kasia, Polska, 28 lat *caty-poczta@02.pl*
Jan, Polska, 40 lat *przystojny_jan@interia.pl*

RELIGIA
Sławomir, Polska, 54 lata *slaw_kowalski@wp.pl*

IMPREZY
Mary, Hongkong, 18 lat *marry/deu@yahoo.de*

ILE PAN / PANI MA LAT?

Ile masz lat?
Mam 7 lat.
O, jesteś bardzo młody. Ja mam 105 lat.
Naprawdę?! To niemożliwe!

• GRAMATYKA

LAT czy LATA?

Mam .....
(1) rok
2, 3, 4 lata
5 – 21 lat
22, 23, 24 lata
25 – 31 lat
.....0, ...1, ...5, ...6, ...7, ...8, ...9 lat
32, 33, 34 lata
.....2, ...3, ...4 lata

lekcja 4

Wymowa

3a Proszę uzupełnić zdania. Proszę przeczytać na głos poprawne odpowiedzi.

a) Oto studenci z kursu języka polskiego: Margarita z Hiszpanii, 37 ...lat..., Alice z USA, 20 lat, pan Carlo z Włoch, 71 ..lat.... Ten wysoki mężczyzna to Philip z Norwegii, 24 ..lata. Ta pani to Sonia, nauczycielka z Rosji, 34 lata. Aneta i Małgorzata to nasze nauczycielki, mają 45 ..lat. A to ja, mam ..trzydzieści cztery lat!

b) Jestem emerytem, mam ...70... lat. To dziecko ma .... lata. Ta popularna aktorka ma .... lata. Ten samochód jest nowy, ma ..1.. rok. Ta antyczna lampa ma .... lat. Ten dobry komputer ma ..... lata. To stare radio ma .... lat. Ta stara książka ma .... lat.

3b Proszę zapytać kolegów z grupy, ile mają lat.

Ile masz lat?

imię	wiek

MOJA RODZINA

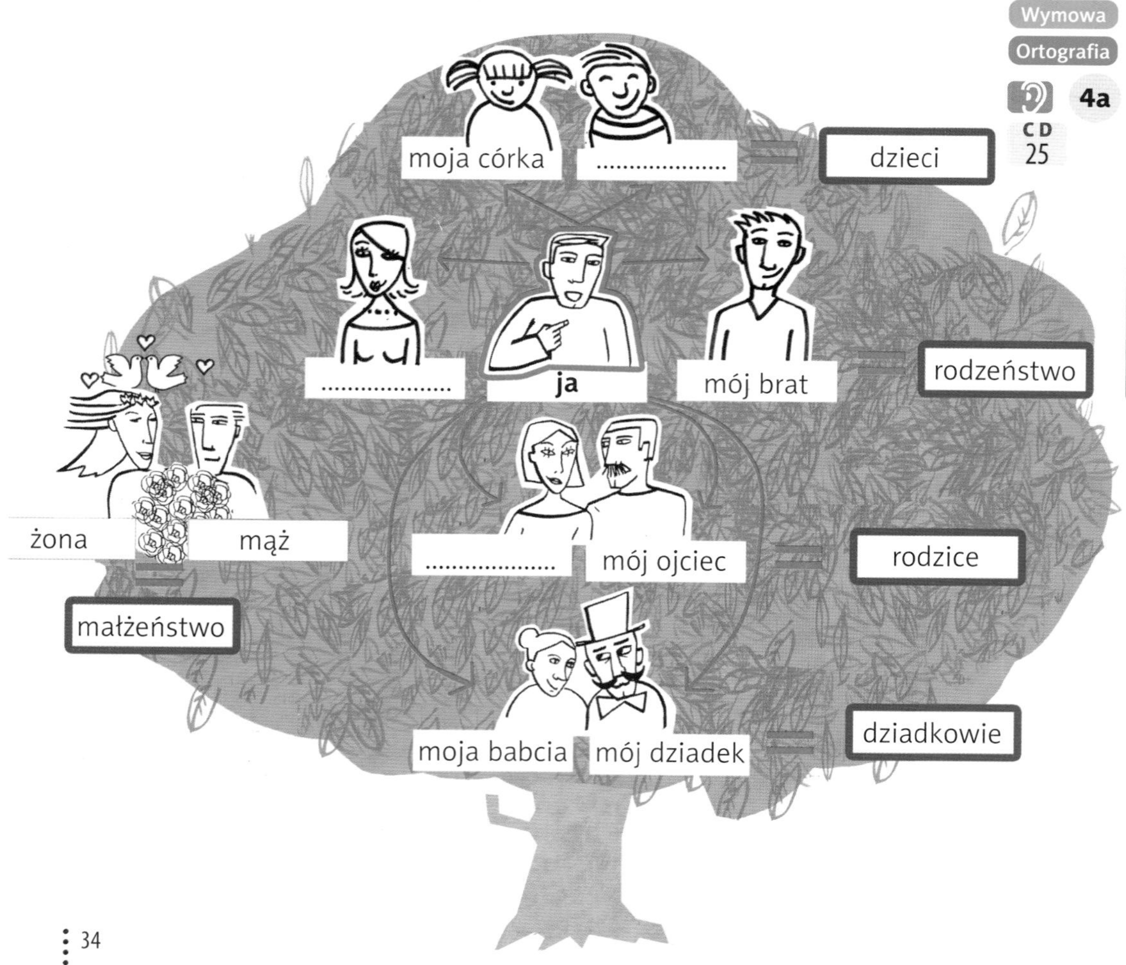

• SŁOWNICTWO

Wymowa
Ortografia

CD 25

4a Proszę:
- posłuchać,
- powtórzyć,
- uzupełnić rysunek.

moja matka
moja siostra
mój syn

4b Jakie tu są słowa? (10 słów) → ↓ ↑

M	B	M	R	O	D	Z	I	C	E	C
A	R	B	A	B	C	I	A	O	A	Ó
T	A	T	A	T	A	B	S	Y	N	R
K	T	K	O	J	C	I	E	C	O	K
A	D	Z	I	A	D	E	K	K	Ż	A

Proszę porównać swoje odpowiedzi z odpowiedziami kolegi / koleżanki.

Ortografia

4c Jakie to słowa?

Przykład: traoiss – *siostra*

a) tkama – ....

b) nys – ....

c) trab – ....

d) abcbia – ....

e) dizekad – ....

f) ciejoc – ....

g) akórc – ....

h) żąm – ....

i) ceroidz – ....

j) icedzi – ....

lekcja 4

5a Proszę szybko przeczytać tekst, a następnie uzupełnić drzewo genealogiczne rodziny Nowickich.

MOJA RODZINA

Dzień dobry. Nazywam się Hanna Nowicka. Jestem Polką i mam 32 lata. Mieszkam w Krakowie na ulicy Kościuszki 24. Jestem dziennikarką. Moja siostra Barbara ma 21 lat i studiuje ekonomię w Niemczech. Mój brat Marek ma 30 lat i pracuje w szkole – jest nauczycielem. Moja matka ma na imię Maria, pracuje jako fryzjerka w Warszawie. Mój ojciec Józef ma 60 lat, jest policjantem. Ojciec mojej matki – dziadek Klemens nie żyje. Moja babcia Weronika ma 89 lat i jest emerytką. Mieszka w Gdańsku. Rodzice mojego ojca – babcia Zofia i dziadek Stefan nie żyją.

Hanna ....

....

.... † .... † .... † ....

Proszę porównać swój rysunek z rysunkiem kolegi / koleżanki.

5b Czy dokładnie rozumie Pan / Pani tekst *Moja rodzina*? Proszę jeszcze raz przeczytać tekst, a następnie odpowiedzieć na pytania.

Przykład: Jak nazywa się Hanna? *Ona nazywa się Nowicka.*

a) Ile ma lat? ....

b) Gdzie mieszka? ....

c) Kim Hanna jest z zawodu? ....

d) Czy Hanna ma siostrę? ....

e) Co robi Barbara? ....

f) Kim z zawodu jest Marek? ....

g) Czy Marek ma jedną siostrę? ....

h) Kim z zawodu jest matka Hanny? ....

i) Kim z zawodu jest ojciec Hanny? ....

j) Czy Hanna ma dziadka? ....

Proszę porównać swoje odpowiedzi z odpowiedziami kolegi / koleżanki.

5c Co Pan / Pani pamięta na temat Hanny? Proszę opowiedzieć o Hannie i jej rodzinie, ale bez ponownego czytania tekstu.

Przykład: Pamiętam, że Hanna nazywa się Nowicka.
Jej siostra ....., jej brat ....., jej matka ....., jej ojciec ....., jej dziadek ....., jej babcia .....

7 **Którą ofertę Pan / Pani wybiera i dlaczego? Jak Pan / Pani myśli, którą ofertę wybiera Pana / Pani kolega / koleżanka z grupy?**

Wybieram ***nowe kino***, bo bardzo lubię ***oglądać filmy***,
bo interesuję się ***polskim kinem***.

Myślę, że .... wybiera .... , bo lubi ....
bo interesuje się ....

SPORT :: HOBBY :: RELAKS

SŁOWNICTWO JAK CZĘSTO?

Pan Kowalski

1. **Zawsze** wieczorem czyta książki – lubi kryminały.
2. **Codziennie** gra na gitarze klasycznej.
3. **Zwykle w weekend** chodzi na basen.
4. **Często** spotyka się z kolegami w kawiarni.
5. **Od czasu do czasu** gra w tenisa.
6. **Rzadko** chodzi do teatru, bo nie ma czasu.
7. **Nigdy** nie słucha muzyki dyskotekowej, bo lubi muzykę klasyczną.

8 Co Pana / Pani koledzy z grupy robią w wolnym czasie i jak często to robią?

Przykład: Jak często chodzisz do kina? // chodzi pan / pani do kina?

Imię	Jak często?	Co robi?
		chodzi do kina
		chodzi do teatru
		chodzi do muzeum
		czyta książki
		chodzi na koncerty
		uprawia sport
		słucha muzyki
		jeździ taksówką
		podróżuje
		spotyka się z kolegami
		chodzi do restauracji na obiad
		ogląda telewizję

9 Jak często Pan / Pani to robi?

1. .... chodzę do kina.
2. .... pływam.
3. .... jeżdżę na nartach.
4. .... chodzę do filharmonii.
5. .... pracuję.
6. .... uprawiam sport.
7. .... surfuję po internecie.
8. .... mailuję.
9. .... oglądam telewizję.
10. .... chodzę na koncerty.

GRAMATYKA **KONIUGACJE**

10 **Proszę uzupełnić tabele.**

KONIUGACJA: -m, -sz

	mieszkać (to live)	**rozumieć** (To understand)	**czytać** (To read)	**jeść** (To eat)	**wiedzieć** (To know)
(ja)	Mieszkam	rozumiem	Czytam	jem	Wiem
(ty)	mieszkasz	rozumiesz	czytasz	Jesz	wiesz
on / ona / ono pan / pani	Mieszka.	rozumie	Czyta	Je	Wie
(my)	Mieszkamy	rozumiemy	czytamy	Jemy	Wiemy
(wy)	Mieszkacie	rozumiecie	Czytacie	jecie	Wiecie
oni / one państwo	mieszkają	rozumieją	czytają	je**dzą**	wie**dzą**

KONIUGACJA: -ę, -isz / -ę, -ysz

-fić, -wić, -pić, -bić, -nić, -mić

	mówić (To Speak)	**lubić** (To like)	**chodzić** (To walk)	**tańczyć** (To Dance)	**uczyć się** (To learn)
(ja)	mówię	lubię	chodzę	tańczę	uczę się
(ty)	Mowisz	lubisz	chodzisz	tanczysz.	uczysz się
on / ona / ono pan / pani	mówi	Lubi	chodzi	tańczy	uczy sie
(my)	mówimy	Lubimy	chodzimy	tańczymy	
(wy)	Mowicie	lubicie	chodzicie	tanczycie	uczycie się
oni / one państwo	Mowią	lubią	chodzą	tanczą	uczą się

KONIUGACJA: -ę, -esz

-ować

	chcieć (To Want)	**pisać** (To write)	**móc** (I can)	**studiować** (To Study)	**pracować** (To Work)
(ja)	chcę	piszę	mo**g**ę	studiu**j**ę	Pracuję
(ty)	Chcesz	piszesz	mo**ż**esz	Studiujesz	prac**uj**esz
on / ona / ono pan / pani	chce	Pisze	mo**ż**e	studiu**je**	Pracuje ~~St~~
(my)	chcemy	Piszemy	Możemy	Studiujmy	prac**uj**emy
(wy)	chcecie	Piszcie	Możecie	studi**uj**ecie	Pracujcie.
oni / one państwo	chcą	Piszą	mo**g**ą	studi**uj**ą	Pracują

11 **Co jest typowe, a co jest nietypowe dla każdej koniugacji?**

lekcja 5

Wymowa

12a Proszę powtórzyć następujące czasowniki za nauczycielem:

studiować – interesować się – kreować – interpretować
funkcjonować – kontrolować – stresować
negocjować – protestować – specjalizować się
analizować – telefonować – argumentować

Proszę pracować w grupie. Proszę podać kilka czasowników z końcówką *-ować*.

....

....

• GRAMATYKA

12b Proszę uzupełnić zdania właściwą formą czasownika.

Przykład: Policja często ......*kontroluje*........ mój samochód. (kontrolować)

1. Ten student często .... (mailować)
2. (my) .... językiem polskim. (interesować się)
3. (ja) .... czasowniki. (koniugować)
4. Co pani .... ? (studiować)
5. Magda i Anna często .... po internecie. (surfować)
6. Andrzej codziennie .... (telefonować)
7. Wojtek .... dom. (dekorować)
8. Gdzie państwo .... ? (pracować)
9. Dlaczego zawsze (ty) .... z profesorem? (dyskutować)
10. Czy często pan .... z rodziną? (podróżować)
11. Tadeusz zawsze wszystko .... (planować)

13 Proszę dokończyć zdania.

Przykład: Zwykle w weekendy ......*chodzę do kina*........ .

1. Zwykle w weekendy ....
2. Na wakacjach nigdy nie ....
3. Często ....
4. Rzadko ....
5. Od czasu do czasu ....
6. Codziennie ....
7. Bardzo często ....
8. Bardzo rzadko ....

14 Proszę uzupełnić zdania właściwą formą czasownika.

Przykład: (ja) ...*Uczę się*... języka polskiego. (uczyć się)

1. Czy .... pan mówić wolniej? (móc)
2. On często .... telewizję. (oglądać)
3. Marek nigdy nie .... muzyki. (słuchać)
4. Czy one często .... maile? (pisać)
5. Codziennie (ja) .... do pracy. (chodzić)
6. (ja) .... dobrze mówić po polsku. (chcieć)
7. Zwykle wieczorem Ania .... książkę. (czytać)
8. Pan Kaczmarczyk .... artykuł. (pisać)
9. Co pan .... studiować? (chcieć)
10. Czy (wy) .... mówić wolniej? (móc)
11. Na lekcji (my) zawsze .... po polsku. (mówić)

15a Proszę posłuchać rozmów telefonicznych i wpisać, dokąd dzwonią Jacek, Joanna, Magda i pan Józef.

CD 34-39

Myślę, że on / ona dzwoni .... , bo on / ona mówi: „............................".

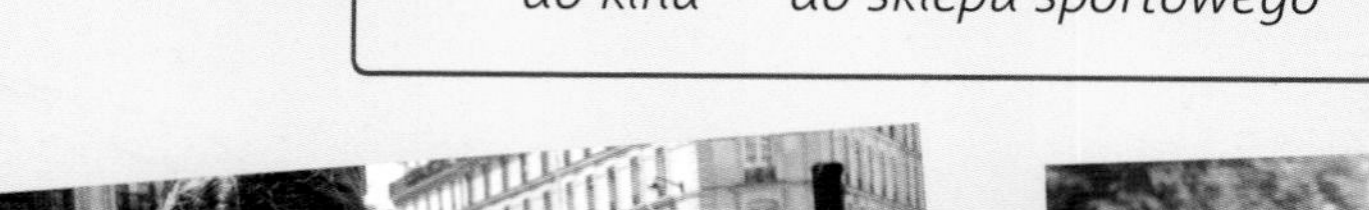

1. Jacek dzwoni ....
2. Jacek dzwoni ....

3. Joanna dzwoni ....
4. Joanna dzwoni ....

5. Magda dzwoni ....

15b **Proszę posłuchać rozmów telefonicznych jeszcze raz i uzupełnić zdania.**
CD 34-39

1. – Bilet kosztuje .... złotych.
   – Czy .... zarezerwować miejsca?

....

2. – Czy to jest numer ....- 78 -.....................?
   – Nie, to ....

....

3. – Czy mają państwo już .... książkę Jerzego Pilcha?
   – Książka kosztuje .... złote.

....

4. – Proszę zarezerwować .... miejsca.
   – Bilet kosztuje .... złotych.

....

5. – Ile kosztuje nowa .... Grzegorza Turnaua?
   – Płyta kosztuje 49 złotych i .... groszy.

....

6. – Bilet normalny kosztuje .... złotych.
   – Pływamy .... minut.

6. Pan Józef dzwoni ....

I **Proszę obejrzeć film i uzupełnić teksty.**
DVD 8

A. .... się Joanna Klimek. Jestem Polką, ale teraz mieszkam we Francji. Mam 33 lata. .... dziennikarką. .... się polityką europejską, ekonomią i teatrem. Lubię .... zdjęcia i grać .... tenisa. Często też .... książki.

B. Józef Buła. Jestem emerytem, mam 65 .... Teraz mieszkam w Gdańsku. Moje hobby to sport – .... pływać. Od czasu do .... spotykam się .... kolegami i gramy w karty. Lubię też czytać gazety, ... telewizję i dyskutować o polityce.

C. Jestem Jacek, jestem bratem Joanny, ... anglistykę w Krakowie. Mam 25 lat. Interesuję się literaturą angielską i .... rockową. Jestem raczej aktywny – rzadko siedzę w domu. .... na przykład tańczyć, ... na rowerze i podróżować.

D. Mam na imię Magda, ... wnuczką Józefa, jestem uczennicą. .... 18 lat i .... do liceum. Bardzo lubię muzykę – .... chodzę na dyskotekę albo na koncert. Lubię też komputery – po maturze .... studiować informatykę.

GRAMATYKA PO POLSKU

II **Proszę uzupełnić tabelę: zaimki i końcówki koniugacyjne.**

	Liczba pojedyncza
ja	-m / -ę / -ię
....	-sz
on / .... / .... pan / pani	-ø

	Liczba mnoga
my	-my
wy	....
.... / .... / państwo	....

LEKCJA 6

SYTUACJE KOMUNIKACYJNE pytania: *Co lubisz jeść i pić? Ile kosztuje? Jaki masz numer telefonu? Gdzie jest ...? Czy mogę ...? Czy można ...?* • sytuacje w kawiarni i restauracji

SŁOWNICTWO jedzenie • napoje • warzywa i owoce • liczebniki 100 – 1000

GRAMATYKA I SKŁADNIA powtórzenie odmiany *jeść, pić* oraz biernika przymiotników i rzeczowników • przyimek *z* + narzędnik • złote – złotych, grosze – groszy

MATERIAŁY AUTENTYCZNE reklama: hotel, kawiarnia, restauracja, pizzeria • numery telefonów alarmowych i ambasad • menu kawiarni i restauracji • rachunek z restauracji • broszura reklamowa z pizzerii • napisy i szyldy

Proszę rachunek

SŁOWNICTWO

1a JEDZENIE – jakie nazwy produktów Pan / Pani już zna?

....

....

....

UWAGA!
To nie to samo:
sałata ≠ sałatka
ciasto ≠ ciastko

Wymowa

CD 40 **1b Proszę posłuchać nagrania, a następnie przeczytać na głos słowa.**

JEDZENIE I NAPOJE

1c **Co nie pasuje?**

Przykład: wino – piwo – ~~woda~~

1. woda – ser – masło – dżem
2. zupa – wino – woda – chleb
3. lody – ciasto – kawa – ziemniaki
4. bułka – chleb – dżem – ciasto
5. płatki – pieprz – sól – cukier
6. kapusta – pomidor – ogórek – jajko
7. kotlet – mięso – szynka – owoce

• GRAMATYKA

1d **Powtórzenie. Jaki to rodzaj? Proszę wpisać słowa do tabelki, a następnie proszę dopisać po 2-3 inne przykłady.**

bułka chleb banan ser żółty mleko marchewka winogrono cytryna

rodzaj męski	rodzaj żeński	rodzaj nijaki
chleb	bułka	mleko
banan	marchewka	winogrono
ser żółty	cytryna	

1e **Proszę uzupełnić brakujące formy liczby mnogiej.**

rodzaj męski i żeński			rodzaj nijaki
-y	(k, g) -i	-e	-a
chleb – chleby ser – sery banan – banany pomidor – .... kotlet –	ogórek – ogórki ziemniak – ziemniaki kurczak –	owoc – owoce	warzywo – warzywa jajko – jajka wino – wina jabłko – .... piwo – ....
kawa – kawy herbata – herbaty cytryna – .... zupa – .... ryba –	bułka – bułki gruszka – gruszki papryka – .... frytka –	pomarańcza – pomarańcze cebula –	

1f **Proszę przeczytać tekst, a następnie napisać, co Pan / Pani lubi jeść, wybierając formy z tabeli z ćw. 1e.**

Przykład: Jestem wegetarianinem / wegetarianką. W moim menu są warzywa i owoce: ogórki, pomidory, ziemniaki, jabłka i gruszki, a także jajka i sery.

....

2a Proszę dopasować rysunki do dialogów.

CO JESZ?

– Co jesz na śniadanie (8:00 – 9:00)? ◯ a
– (Na śniadanie jem) chleb, szynkę i ser.

– Co lubisz jeść na obiad (14:00 – 15:00)? ◯ b
– (Na obiad lubię jeść) zupę pomidorową, ziemniaki, kotlet i sałatę.

– Co jesz na kolację (18:00 – 19:00)? ◯ c
(Na kolację jem) bułkę z masłem i pomidorem.

CO PIJESZ?

– Co pijesz do śniadania? ◯ a
– (Piję) kawę z mlekiem albo herbatę.

– Co pijesz do obiadu? ◯ b
– (Piję) wodę mineralną albo sok pomarańczowy.

– Co lubisz pić do kolacji? ◯ c
– (Lubię pić) herbatę z cytryną.

1

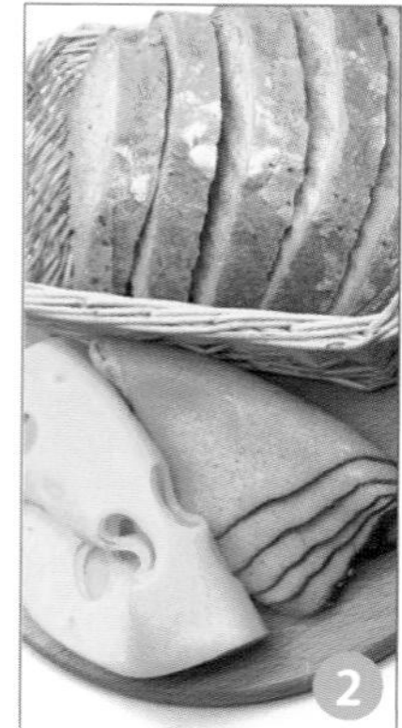
2

3

1

2

3

POWTÓRZENIE ODMIANY CZASOWNIKÓW *JEŚĆ, PIĆ*

jeść + biernik		*pić* + biernik	
ja *jem*	my *jemy*	ja *piję*	my piemy
ty Jesz	wy Jecie	ty pijesz	wy *pijecie*
on / ona /ono *je*	oni /one Jedzą	on /ona / ono *pije*	oni / one piją

2b Proszę uzupełnić zdania brakującymi słowami.

Przykład: Pan Kowalski je na obiad kotlet z *frytkami* .

a) Proszę kurczaka z ....
b) Na śniadanie lubię tradycyjny chleb z .... lub ....
c) Maria lubi pić zieloną herbatę z .... lub z ....
d) Jarek jest studentem i lubi frytki z ....
e) Pan Tomasz często je kiełbasę z ....
f) Lubisz jeść płatki śniadaniowe z .... ?
g) Proszę małą kawę z ....
h) Proszę piwo z ....

frytki ✓ *miód* *mleko* *mleko*
musztarda *ziemniaki* *margaryna*
masło *keczup* *cukier* *sok*

UWAGA!
herbata **bez** cukr**u**
kawa **bez** mlek**a**

2c **Proszę:**

a. zaznaczyć, co Pan / Pani lubi jeść i pić.

		Biernik: Co?	Narzędnik: Z czym?
Na śniadanie **Na obiad** **Na kolację**	jem	chleb bułkę kanapkę muesli / płatki kotlet kurczaka, rybę zupę pomidorową ryż	z masłem z szynką z pomidorem z serem z nutellą z ogórkiem z jogurtem z dżemem z mlekiem z sałatką z ziemniakami z ryżem z frytkami z warzywami z makaronem
Do śniadania **Do obiadu** **Do kolacji**	piję	kawę herbatę wodę mineralną gazowaną / niegazowaną mleko sok pomarańczowy / jabłkowy coca-colę piwo wódkę	z mlekiem z cukrem z cytryną z miodem z lodem z sokiem

b. zapytać 4 różne osoby:

Osoba 1. Co jesz na śniadanie? Co zwykle pijesz do śniadania?

....

Osoba 2. Co jesz na obiad? Co zwykle pijesz do obiadu?

....

Osoba 3. Co jesz na kolację? Co zwykle pijesz do kolacji?

....

Osoba 4.

Jakie owoce lubisz najbardziej?

....

Jakie warzywa lubisz najbardziej?

....

Lubisz jeść mięso czy jesteś wegetarianinem / wegetarianką?

....

Jaką herbatę / kawę / wodę lubisz pić?

....

2d **Co pasuje?**

Przykład: Proszę nieświeżą / krakowską kiełbasę.

a) Proszę zimną / zieloną wodę mineralną.
b) Proszę czarną / gazowaną kawę.
c) Proszę ciemny / tłusty chleb.
d) Proszę dietetyczną / niegazowaną colę.
e) Proszę świeże / stare pomidory.
f) Proszę kaloryczne / małe lody waniliowe.
g) Proszę pomarańczowe / zimne piwo z sokiem.

3 Proszę odpowiedzieć na pytania.

– Ile kosztuje ...?

kawą 12,40 zł

herbata 6,24 zł

woda mineralna 1,99 zł

szynka 30,99 zł

kurczak 15,33 zł

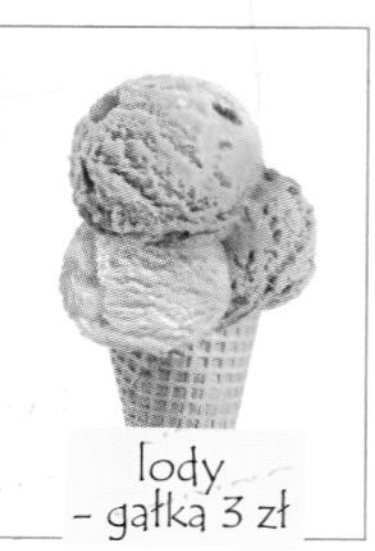
lody – gałka 3 zł

– Ile kosztują ...?

ziemniaki 1,99 zł

pomidory 6,17 zł

ogórki 5,44 zł

banany 4,50 zł

cytryny 8,12 zł

– Ile kosztują te produkty w Pana / Pani kraju?

1	złoty
2, 3, 4	złote
5 – 21	złotych
22, 23, 24	złote
...2, ...3, ...4	złote
...0, ...1, ...5, ...6, ...7, ...8, ...9	złotych
1	grosz
2, 3, 4	grosze
5 – 21	groszy
22, 23, 24	grosze
...2, ...3, ...4	grosze
...0, ...1, ...5, ...6, ...7, ...8, ...9	groszy

• SŁOWNICTWO

LICZEBNIKI 100 – 1000

4a Proszę dopasować słowa do liczb, a następnie przeczytać je na głos.

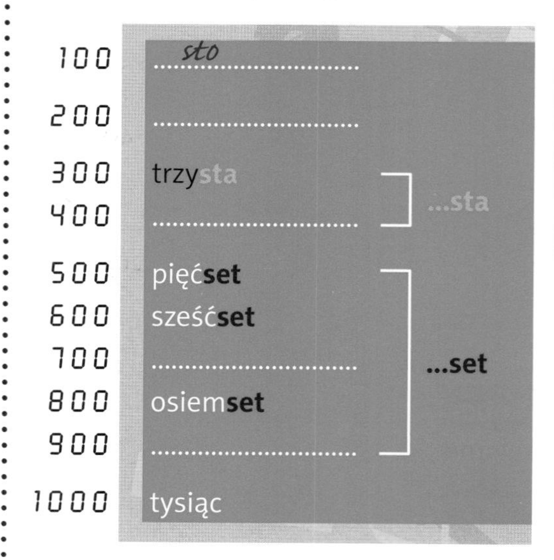

100	*sto*	
200	....	
300	trzysta	...sta
400	....	...sta
500	pięćset	...set
600	sześćset	...set
700	....	...set
800	osiemset	...set
900	....	...set
1000	tysiąc	

sto✓
czterysta
siedemset
dwieście
dziewięćset

Wymowa

4b Ile to jest? Proszę przeczytać na głos poprawne odpowiedzi.

1) 1000–550=
2) 570–340=
3) 920–210=
4) 122+211=
5) 867+200=

a) siedemset dziesięć
b) trzysta trzydzieści trzy
c) czterysta pięćdziesiąt
d) dwieście trzydzieści
e) tysiąc sześćdziesiąt siedem

Ortografia Wymowa

4c Ile to jest? Proszę przeczytać na głos poprawne odpowiedzi.

Przykład: 234+166= ......*czterysta*......
a) 700–450= ....
b) 612+100= ....
c) 90+210= ....
d) 112+21= ....

CD 41 **4d** Co mówi lektor?

520	400	690	999	340	404	623	255	820	956
150	340	160	190	430	303	702	220	317	910
910	230	600	119	807	990	880	261	340	920

Wymowa

4e Proszę przeczytać na głos poprawne odpowiedzi.

5a Proszę odpowiedzieć na pytania.

a) Jaki jest numer telefonu do pizzerii?
b) Jaki jest adres restauracji?
c) Skąd jest importowana kawa w kawiarni?
d) Ile minut od centrum jest hotel?
e) Ile rabatu mają studenci w barze studenckim?

Pizzeria „Bolonia"
ul. Włoska 165
Kraków
tel. 12 542-14-90
Dostawa w 30 minut!

Restauracja „Tradycyjna"
Kuchnia polska
ul. Staropolska 15
Rezerwacja tel. 12 673-23-89

Kawa importowana z Brazylii!
Kawiarnia „Mała czarna"
ul. Kawowa 666
tel. 12 223-46-12

Hotel „Ambasador"
ul. Konsularna 45
tel. (+48) 12 444-33-90
5 minut od centrum!
Luksusowe apartamenty
Restauracja, basen, sauna

Bar Studencki „Żak"
ul. Jagiellońska 245
Obiad już od 15 zł!
Rabaty 20% w poniedziałki
Kanapka + kawa 10 zł

5b Proszę na głos odpowiedzieć na pytania.

– Jaki numer telefonu mają te osoby?

Andrzej: 22 412-56-02
Anna: 71 614-34-29
Agnieszka: 608-004-987
Gosia: 65 833-56-49
Kasia: 505-675-432
Marek: 51 654-45-29

– Jaki Pan / Pani ma numer telefonu?

Mój numer telefonu to: plus czterdzieści osiem-dwanaście-czterysta jedenaście-dwadzieścia pięć--pięćdziesiąt osiem (+48-.... ....-.... ....-.... ....-.... ....).

– Jaki jest numer telefonu na policję, na pogotowie, do straży, do ambasady?

Policja 997
Pogotowie 999
Straż pożarna 998
Telefon alarmowy w UE 112

Ambasada Republiki Federalnej Niemiec: 22 584-17-00
Ambasada Republiki Francuskiej: 22 529-30-00
Ambasada Republiki Austrii: 22 841-00-81
Ambasada Federacji Rosyjskiej: 22 122-10-12

Ortografia

6a Proszę uzupełnić kartę.

napoje gorące ✓ *~~napoje zimne~~* *desery*
~~kanapki~~ *~~sałatki~~* *alkohol*

KAWIARNIA
Filiżanka

Kanapki .... 10 zł
wegetariańska vegetarian.
z szynką i serem żółtym
z kurczakiem i sosem majonezowym

Sałatki .... 12 zł
grecka
z mozzarellą i pomidorami
makaronowa z kurczakiem

desery

lody waniliowe	10 zł
tort czekoladowy	9 zł
tort owocowy	9 zł
szarlotka	8 zł
sernik	8 zł

napoje gorące

	mała / duża
kawa espresso	6 zł
kawa czarna	7 / 8 zł
kawa biała	7,50 / 8,50 zł
cappuccino	8 / 9 zł
herbata: czarna, czerwona, zielona i owocowa	6 / 7 zł

napoje zimne

woda mineralna (gazowana / niegazowana)	5 zł
sok: pomarańczowy, bananowy, jabłkowy, ananasowy	6 zł
pepsi, fanta, coca-cola	6,50 zł

alkohol

	małe / duże
piwo	7 / 8 zł
wino (czerwone / białe / różowe)	9 zł

Wymowa

6b Proszę z kolegą / koleżanką na głos przeczytać dialog.

Kelner: Dzień dobry.
Klient: Dzień dobry.
Kelner: **Proszę kartę.**
Klient: Dziękuję.
Kelner: **Co dla pana / pani?**
Klient: **Proszę** kawę z mlekiem i wodę mineralną.
Kelner: Gazowaną czy niegazowaną?
Klient: Niegazowaną.
Kelner: Proszę bardzo. **Czy coś jeszcze?**
Klient: Nie, dziękuję.

CD 42-43 DVD 9-10

6c Proszę obejrzeć dwa filmy lub wysłuchać nagrania dwóch dialogów, a następnie zaznaczyć w karcie, które produkty z karty kawiarni „Filiżanka" klienci zamawiają.

6d Jest Pan / Pani w kawiarni „Filiżanka". Proszę z kolegą / koleżanką przygotować dialog, a następnie odegrać go na forum grupy.

lekcja 6

 7a **Proszę uzupełnić kartę.**

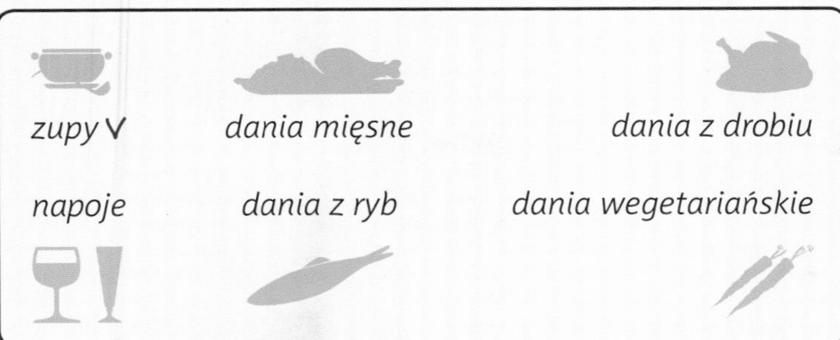

RESTAURACJA Smacznego

Menu dnia: 18 zł
(zupa + drugie danie + napój)

zupy	*13 zł*
rosół z makaronem	
zupa pomidorowa	
barszcz czerwony	
....	
bigos, chleb	*12 zł*
gołąbki, ziemniaki	*15 zł*
kotlet schabowy, ziemniaki	*22 zł*
befsztyk, frytki, sałatka	*25 zł*
....	
kurczak, ziemniaki, sałatka	*20 zł*
filet z indyka, frytki, sałatka	*23 zł*
kaczka z jabłkami	*35 zł*
....	
karp, ziemniaki	*21 zł*
tuńczyk z grilla, sałatka	*25 zł*
filet z łososia, ryż, sałatka	*28 zł*
....	
naleśniki z serem (2 sztuki)	*12 zł*
pierogi ruskie (10 sztuk)	*14 zł*
zestaw sałatek (4 sałatki)	*16 zł*
....	
	mała / duża
kawa	*6zł / 8zł*
herbata	*6zł*
	małe / duże
piwo	*6,50 zł / 8,50 zł*
sok	*5zł*

Wymowa

7b **Proszę z kolegą / koleżanką na głos przeczytać ten dialog.**

Kelner: Dobry wieczór.
Klient: Dobry wieczór. **Proszę kartę.**
Kelner: Proszę. **Słucham pana / panią.**
Klient: Proszę rosół, kurczaka z ziemniakami i kawę.
Kelner: **Niestety, nie ma** rosołu.
Klient: Jest barszcz?
Kelner: Tak, bardzo smaczny.
Klient: Proszę barszcz. Dziękuję.
(30 min)
Klient: Proszę **rachunek**.
Kelner: Proszę bardzo. 41 złotych.
Klient: Proszę. **Reszta dla pana / pani.**
Kelner: Dziękuję bardzo. Dobranoc.
Klient: Dobranoc.

RESTAURACJA Smacznego

barszcz	13.00 zł
kurczak z ziemniakami	20.00 zł
kawa	8.00 zł
RAZEM	41.00 zł

lekcja 6

7c **Jest Pan / Pani w restauracji „Smacznego". Proszę z kolegą / koleżanką przygotować dialog, a następnie odegrać go na forum grupy.**

7d **Proszę obejrzeć film lub wysłuchać nagrania *W restauracji*, a następnie zaznaczyć, który rachunek jest właściwy.**

CD 44 DVD 11

1

żurek x1	12 zł
zupa pomidorowa x1	10 zł
pierogi ruskie x2	24 zł
gołąbki x2	30 zł
małe piwo x2	10 zł
RAZEM	86.00 zł

2

żurek x2	24 zł
pierogi ruskie x1	12 zł
gołąbki x1	15 zł
herbata czarna x1	7 zł
małe piwo x1	5 zł
duże piwo x1	8 zł
RAZEM	71 zł

3

żurek x2	24 zł
gołąbki x2	30 zł
herbata czarna x1	7 zł
małe piwo x1	5 zł
RAZEM	66 zł

7e **Jaka to restauracja? Proszę dopasować nazwę restauracji do menu.**

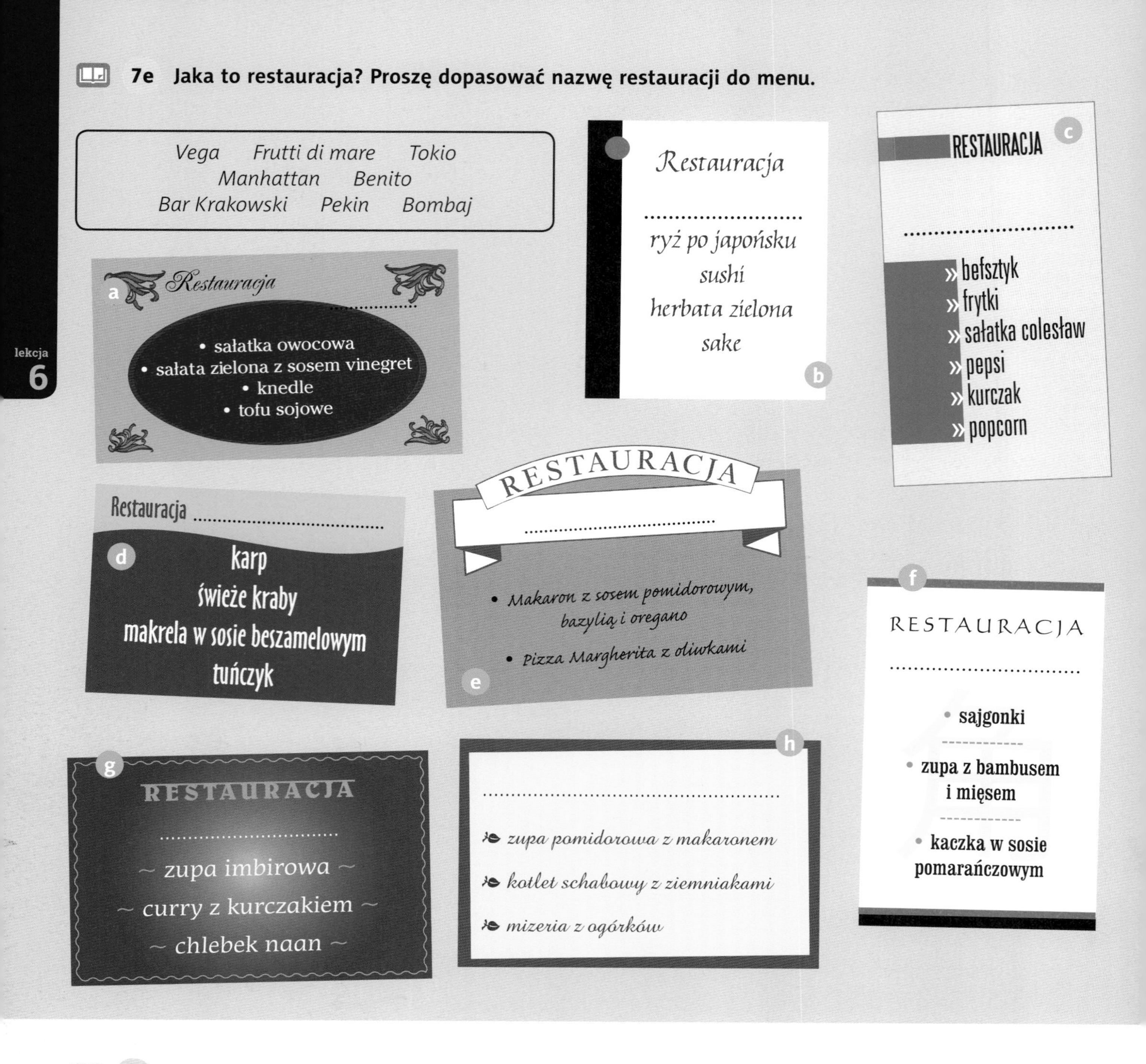

7f **Jest Pan / Pani szefem restauracji. Proszę przygotować krótkie menu (pierwsze danie, drugie danie, deser, napoje), a następnie zaprezentować je grupie.**

RESTAURACJA ....

....

....

....

....

....

....

....

Wymowa

CD 45 **8** **Proszę posłuchać nagrania, a następnie przeczytać na głos wyrażenia:**

Lubię pizzę.	kotlet	tuńczyk	czy	sześć	trzy	cztery
Piję kawę.	frytki	dżem	coś	cześć	trzydzieści	czterdzieści
Jem kolację.	kartofle	kolacja	jeszcze		trzysta	czterysta
Proszę.	szynka	restauracja				
Dziękuję.	sznycel	lekcja				

 **9** **Proszę przeczytać ofertę pizzerii i odpowiedzieć na pytania.**

a) Jak nazywa się pizzeria? Jaki jest jej adres i numer telefonu?
b) Jaki jest czas dostawy (transportu)?
c) Ile kosztuje duża pizza Capricciosa?
d) Jakie napoje można zamówić?
e) Jaką pizzę Pan / Pani zamawia?

Pizza na telefon

Pizzeria „Wezuwiusz"

tel. 12 789-11-34
ul. Kucharska 7

Na miejscu 10% taniej!
Kup 2 duże pizze, a dostaniesz litr soku gratis!

Dostawa w 30 minut

Minimalna wartość zamówienia 20,00 zł

Proponujemy	MAŁA (25 cm)	ŚREDNIA (35 cm)	DUŻA (42 cm)
Margherita sos pomidorowy, ser, oliwki, przyprawy	21,50	22,50	23,40
Salami sos pomidorowy, ser, salami, przyprawy	22,60	23,70	25,20
Hawajska sos pomidorowy, ser, szynka, ananas, przyprawy	23,10	24,90	26,80
Capricciosa sos pomidorowy, ser, pieczarki, szynka, papryka, przyprawy	22,30	24,30	27,20
Wegetariana sos pomidorowy, ser, pieczarki, papryka, pomidor, ogórek, cebula, przyprawy	23,50	24,30	27,40
Prima sos pomidorowy, ser, pieczarki, kurczak, oliwki, kukurydza, przyprawy	24,60	25,90	28,90
Frutti di mare sos pomidorowy, ser, owoce morza, przyprawy	24,60	25,90	28,90

Napoje coca-cola, fanta, sprite, 8,00
woda mineralna 6,00

10a Która to sytuacja? Proszę dopasować tekst do ilustracji.

[a] **1** – Smacznego!
– Dziękuję, nawzajem.

[ ] **2** – Czy można tu palić?
– Nie, tu nie wolno palić.

[ ] **3** – Czy jest wolny stolik na cztery osoby?
– Tak, proszę na prawo. ➡

[ ] **4** – Przepraszam, gdzie jest toaleta?
– Tam. Na lewo. ⬅

[ ] **5** – Mogę prosić sól?
– Tak, proszę bardzo.

[ ] **6** – Płaci pan kartą czy gotówką?
– Gotówką.

[ ] **7** – Jesteś głodny?
– Tak, bardzo chce mi się jeść i pić.

Wymowa

CD 46 **10b Proszę posłuchać dialogów z ćwiczenia 10a, a następnie z kolegą / koleżanką przeczytać je na głos.**

11 Co to znaczy? Proszę wyjaśnić te informacje po polsku.

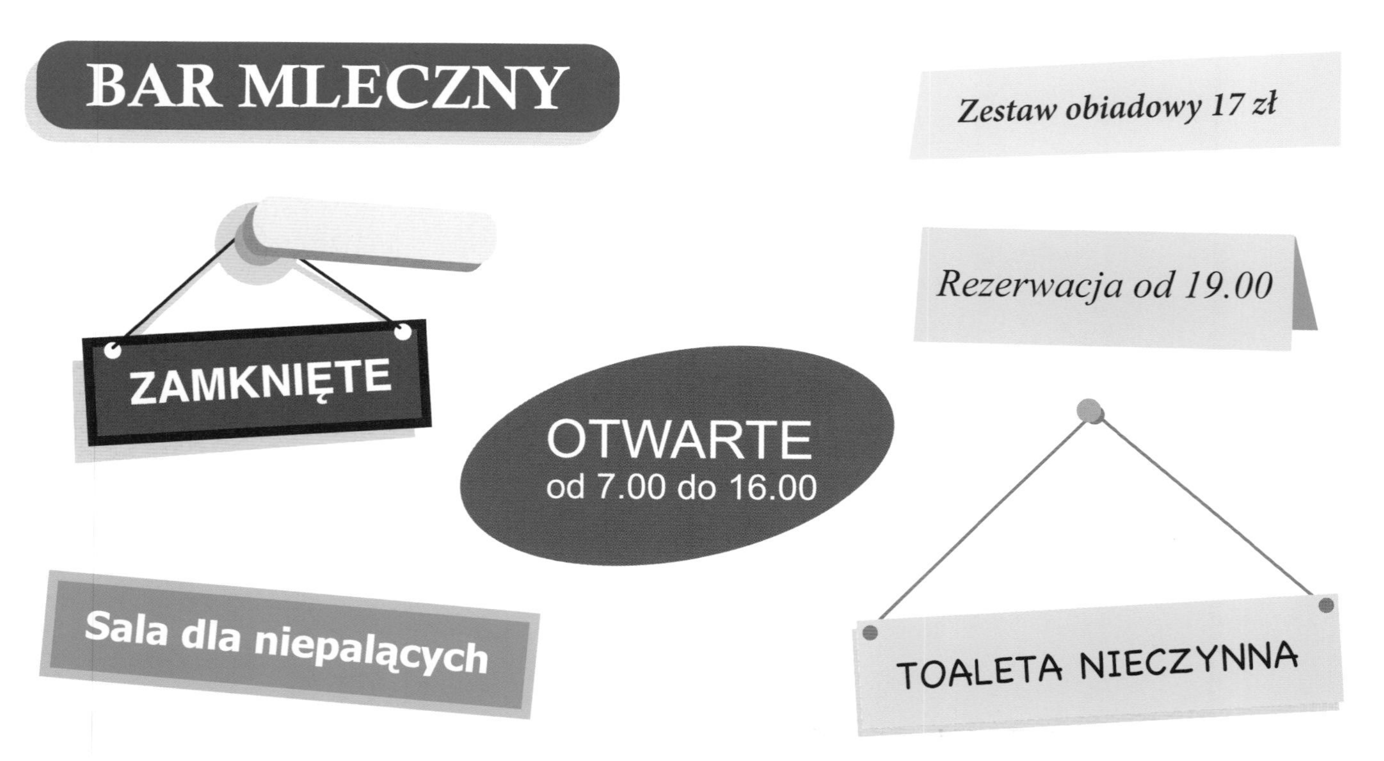

I Marek jest w restauracji. Proszę ułożyć dialog w kolejności.

- [1] Marek: Dzień dobry.
- [2] Kelner: Dzień dobry. Proszę kartę. Co dla pana?
- [ ] Marek: Proszę zupę pomidorową z ryżem, na drugie danie kotlet schabowy z ziemniakami i kapustą.
- [ ] Kelner: A co na deser?
- [ ] Marek: Do widzenia.
- [ ] Marek: Proszę lody owocowe.
- [ ] Marek: Reszty nie trzeba.
- [ ] Marek: Proszę sok pomarańczowy.
- [ ] Marek: Proszę rachunek.
- [ ] Kelner: Proszę bardzo. Smacznego!
- [ ] Kelner: A co do picia?
- [ ] Kelner: Dziękuję bardzo. Do widzenia.
- [ ] Kelner: Proszę. 55 zł.

II Proszę z kolegą / koleżanką zaplanować zdrowe menu dla (do wyboru): dziecka / wegetarianina / osoby na diecie / chorego w szpitalu / kobiety w ciąży.

Przykład: Na śniadanie dla dziecka proponujemy płatki śniadaniowe z mlekiem, ...

	na śniadanie	*na obiad*	*na kolację*
Dla dziecka			
Dla wegetarianina			
Dla osoby na diecie			
Dla chorego w szpitalu			
Dla kobiety w ciąży			

LEKCJA 7

SYTUACJE KOMUNIKACYJNE	opis dnia
SŁOWNICTWO	rutyna dnia codziennego • godziny • pory dnia • dni tygodnia • środki komunikacji
GRAMATYKA I SKŁADNIA	odmiana czasowników *brać, myć się, spać, iść, chodzić, jechać, jeździć, umieć, wiedzieć, znać, spotykać się, spotykać* • narzędnik zaimków osobowych • liczebniki porządkowe 1 - 24
MATERIAŁY AUTENTYCZNE	notatki w kalendarzu • program kin i teatrów

Co dzisiaj robisz?

• SŁOWNICTWO

1a Proszę podpisać rysunki. Co robi pan Kowalski?

jeść, -m, -sz śniadanie pić, piję, pijesz kawę iść, idę, idziesz do pracy pracować, -ę, -esz jeść obiad robić, -ę, -isz zakupy wracać, -m, -sz do domu oglądać, -m, -sz telewizję czytać, -m, -sz książkę iść na spacer iść spać spotykać, -m, -sz się z kolegą rozmawiać, -m, -sz przez telefon spać, śpię, -isz rozbierać się, -m, -sz

budzić się, -ę, -isz

wstawać, wstaję, wstajesz

brać prysznic, biorę, bierzesz

myć zęby, myję, myjesz

ubierać się, -m, -sz

....

....

....

....

....

....

....

....

....

jeść kolację, jem, jesz

.... z psem

....

....

....

myć się, myję się, myjesz się

....

....

1b Proszę zapytać kolegę / koleżankę:

Co zwykle robisz najpierw?

Zwykle najpierw ....., a potem .....

- pijesz kawę / herbatę czy bierzesz prysznic?
- bierzesz prysznic czy jesz śniadanie?
- ubierasz się czy jesz śniadanie?
- jesz śniadanie czy czytasz gazetę?
- jesz śniadanie czy idziesz do pracy?
- jesz śniadanie czy idziesz do pracy / na uniwersytet?
- jesz obiad czy idziesz na zakupy?

• GRAMATYKA

1c Co robimy najpierw, a co potem?

Przykład: (ja) / wstawać / budzić się
Najpierw budzę się, a potem wstaję.

1. on / myć zęby / wstawać
   ....
2. (ja) / iść do pracy / ubierać się
   ....
3. oni / robić zakupy / iść do sklepu
   ....
4. ona / iść spać / iść na spacer
   ....
5. (my) / jeść kolację / myć zęby
   ....
6. (my) / brać prysznic / iść do pracy
   ....
7. ona / iść spać / jeść kolację
   ....
8. oni / brać prysznic / wstawać
   ....
9. (wy) / oglądać telewizję / iść spać
   ....
10. one / budzić się / pić kawę
   ....

2a Proszę obejrzeć film, porozmawiać z kolegą / koleżanką i opisać dzień Ani.

DVD 12 **DZIEŃ ANI – CO ANIA ROBI NAJPIERW, A CO POTEM?**

Jak myślisz, czy Ania najpierw ..... , czy .....?
Myślę, że (ona) najpierw ..... , a potem .....

- [1] Ania budzi się i
- [ ] Robi zakupy i wraca do domu.
- [ ] Potem ubiera się i robi makijaż.
- [ ] Robi i je śniadanie.
- [ ] Jedzie tramwajem do pracy.
- [ ] wstaje, myje zęby i bierze prysznic.
- [ ] Pracuje, pracuje, pracuje, pracuje: pisze i czyta maile i rozmawia przez telefon.
- [ ] Wieczorem spotyka się z Andrzejem i idą razem do kawiarni,
- [ ] Robi krótką przerwę – je szybko mały obiad,
- [ ] a potem znowu pracuje.
- [ ] Na dyskotece Ania
- [ ] W domu dzwoni do przyjaciółki i rozmawia z nią godzinę.
- [ ] tam spotykają przyjaciół ze studiów i spontanicznie idą z nimi na dyskotekę.
- [ ] tańczy i rozmawia z przyjaciółmi. Potem jedzie taksówką do domu.
- [15] Jest bardzo zmęczona, bierze prysznic i idzie spać.

2b Proszę pracować w grupie. Proszę napisać przynajmniej 10 zdań. Proszę opisać dzień (do wyboru):

1. pilnego / leniwego studenta
2. pilnej / leniwej studentki
3. energicznego emeryta / zmęczonego biznesmena
4. energicznej emerytki / zmęczonej biznesmenki / bizneswoman
5. zaangażowanego / sfrustrowanego lektora
6. zaangażowanej / sfrustrowanej lektorki

UWAGA!

nie planuję spotkania

***spotykać* + biernik**

spotykać znajomych
kolegów
przyjaciół

planuję spotkanie

***spotykać się z* + narzędnik**

spotykać się ze znajomymi
z kolegami
z przyjaciółmi

3b **Proszę odpowiedzieć na pytania. W odpowiedziach proszę użyć zaimków osobowych w narzędniku.**

Przykład: Czy lubisz rozmawiać z dziećmi?
*Tak, lubię **z nimi** rozmawiać.*

1. Czy często spotykasz się ze znanymi politykami?
....
2. Interesujesz się popularnymi osobami?
....
3. Lubisz rozmawiać z Polakami?
....
4. Czy rozmawiasz teraz z kolegą z kursu?
....
5. Czy rozmawiasz teraz z koleżanką z kursu?
....
6. Lubisz się z nami spotykać?
....
7. Lubisz się ze mną spotykać?
....

• GRAMATYKA

3a **Proszę uzupełnić zdania formami w bierniku lub narzędniku. Czy jest potrzebny przyimek?**

Przykład: ...*Ze znajomymi*... zwykle spotykam się w klubie „Pauza" albo „Enzym".

1. Kiedy czekam na autobus, często spotykam .... (Marek)
2. Magda, zawsze kiedy nie chce, spotyka swojego .... (ekschłopak)
3. Lubię spotykać się .... i rozmawiać z nimi o polityce. (znajomy – liczba mnoga)
4. Marek często chodzi do klubu i zawsze spotyka tam .... (przyjaciel – liczba mnoga)
5. Teraz mam czas i często spotykam się .... (przyjaciel – liczba mnoga)

ZAIMKI OSOBOWE NARZĘDNIK

liczba pojedyncza	
ja	**mną / ze mną**
ty	**tobą / z tobą**
on / ono	**nim / z nim**
ona	**nią / z nią**
liczba mnoga	
my	**nami / z nami**
wy	**wami / z wami**
oni / one	**nimi / z nimi**

4a **Proszę uzupełnić tabelę. Proszę zapytać kolegę / koleżankę, co zwykle robi rano / przed południem / w południe / po południu itd.**

KIEDY?	JA	MÓJ KOLEGA / MOJA KOLEŻANKA
rano		
przed południem		
w południe (12:00)		
po południu		
wieczorem		
w nocy		
o północy (24:00)		

4b **Proszę przedstawić plan dnia kolegi / koleżanki.**

4c **Jak Pan / Pani myśli, kim są te osoby? Jak wygląda ich dzień? Czy wstają wcześnie, czy późno? Co robią codziennie? Co robią zwykle w weekend? Co zwykle robią rano, co wieczorem? Czy chodzą do teatru? Kiedy robią zakupy – rano, a może po południu? Co robią przed południem? Co robią wieczorem? Dlaczego Pan / Pani tak myśli?**

Myślę, że ten mężczyzna / ta kobieta zwykle ..... , bo .....

5a **Ania rozmawia z Andrzejem przez telefon. Proszę posłuchać dialogu i uzupełnić kalendarz Ani i Andrzeja.**

CD 47

Kiedy?	Ania	Andrzej
w poniedziałek	jedzie do Warszawy	spotyka się z kolegą
we wtorek	uczy się do egzaminu	
w środę		
w czwartek		idzie z Tomkiem na basen
w piątek		
w sobotę	jedzie do Poznania	nie ma planu
w niedzielę		jedzie do Zakopanego

Wymowa

5b **Proszę porównać swoje odpowiedzi z odpowiedziami kolegi / koleżanki, a następnie przeczytać na głos, co robią Ania i Andrzej w tym tygodniu.**

5c **Proszę posłuchać jeszcze raz i zdecydować, czy to prawda (P), czy nieprawda (N)?**

CD 47

Przykład: Ania chodzi na kurs francuskiego. P / N

1. Wojtek też idzie na basen. P / N
2. Na dyskotekę idą też Wojtek i Beata. P / N
3. Ania jedzie do Poznania w sobotę wieczorem. P / N
4. Andrzej mówi, że Ania zawsze gdzieś jeździ i jeździ. P / N
5. Andrzej nie lubi chodzić z Anią na dyskotekę. P / N
6. Andrzej jedzie do Zakopanego pociągiem. P / N

5d **Proszę pracować w grupie. Proszę przeczytać jeszcze raz zdania z ćwiczenia 5c. Kiedy mówimy *idę* albo *jadę*, a kiedy mówimy *chodzę* albo *jeżdżę*? Jak Państwo myślą, jaka jest reguła?**

GRAMATYKA **CZASOWNIK**

IŚĆ – CHODZIĆ; JECHAĆ – JEŹDZIĆ

dziś, jutro, teraz		jak często?	zwykle, zawsze, codziennie, regularnie, często, rzadko, nigdy nie...
iść		***chodzić***	
idę	idziemy	chodzę	chodzimy
idziesz	idziecie	chodzisz	chodzicie
idzie	idą	chodzi	chodzą
jechać		***jeździć***	
jadę	jedziemy	jeżdżę	jeździmy
jedziesz	jedziecie	jeździsz	jeździcie
jedzie	jadą	jeździ	jeżdżą

6a Proszę odpowiedzieć na pytania.

1. Czym jeździsz do pracy / na uniwersytet? ....
2. Czym jeździsz na zakupy? ....
3. Często chodzisz pieszo? ....
4. Umiesz jeździć na nartach? ....
5. Lubisz jeździć na rowerze? ....
6. Umiesz jeździć konno? ....
7. Jak często chodzisz do kina? ....
8. Często jeździsz taksówką? ....

6b Gdzie pasuje czasownik *iść*, a gdzie *chodzić*? Dlaczego? Proszę uzupełnić zdania właściwą formą czasownika.

Przykład: Marek ...*chodzi*.... codziennie do pracy, ale dzisiaj nie ....*idzie*.... , bo jest chory.

1. Lubię .... do teatru – dzisiaj na przykład .... do Teatru Starego.
2. Jola .... codziennie na kurs francuskiego, ale dzisiaj nie .... , bo musi pracować.
3. Oni zawsze .... na uniwersytet pieszo. Dzisiaj też .... pieszo.

6c Gdzie pasuje czasownik *jechać*, a gdzie *jeździć*? Dlaczego? Proszę uzupełnić zdania właściwą formą czasownika.

1. Codziennie Marek .... do pracy tramwajem, ale dzisiaj .... taksówką.
2. One .... zawsze do pracy samochodem, ale dzisiaj .... autobusem.
3. Nie lubię .... autobusem, ale dzisiaj ....

6d Proszę ułożyć 4 pytania: 2 z czasownikiem *chodzić* i 2 z *jeździć*.

1. ....
2. ....
3. ....
4. ....

WIEDZIEĆ, UMIEĆ, ZNAĆ

7 **Proszę odpowiedzieć na pytania. Proszę zadać te same pytania koledze / koleżance.**

Czy wiesz, jak nazywa się polski prezydent?

– Tak, wiem – on nazywa się ....

– Nie, niestety nie wiem.

TAK – 1 punkt / NIE – 0 punktów

PUNKTY **QUIZ** ***CZY WIESZ, CZY UMIESZ, CZY ZNASZ?***

WIEDZIEĆ ***wiem*, że / gdzie / kiedy/ ile / jak / itd.**

- ☐ Czy wiesz, ile w Polsce jest województw?
- ☐ Czy wiesz, kiedy w Polsce jest Święto Pracy?
- ☐ Czy wiesz, gdzie jest Zakopane?
- ☐ Czy wiesz, kim jest Krystyna Janda?
- ☐ Czy wiesz, że język polski jest językiem słowiańskim?

UMIEĆ ***umieć* + bezokolicznik**

- ☐ Czy umiesz jeździć na nartach?
- ☐ Czy umiesz dobrze gotować?
- ☐ Czy umiesz dobrze tańczyć?
- ☐ Czy umiesz pływać?
- ☐ Czy umiesz grać w tenisa?

ZNAĆ ***znać* + biernik**

- ☐ Czy znasz osobiście Lecha Wałęsę?
- ☐ Czy znasz jakiegoś polskiego artystę?
- ☐ Ile języków obcych znasz? (za każdy język obcy 1 punkt)
- ☐ Czy znasz dobrze polską gramatykę?
- ☐ Czy znasz Kraków?
- ☐ Czy znasz polskie kino?
- ☐ Czy znasz dobrze polską kuchnię?

Ile ma Pan / Pani punktów? Ile ma punktów Pana / Pani kolega / koleżanka?

• SŁOWNICTWO

8a **Proszę wpisać właściwe liczebniki.**

CZY WIESZ, KTÓRA JEST TERAZ GODZINA w Warszawie, w Nowym Jorku, w Moskwie?

1:00	13:00 ....
2:00	14:00 ....
3:00 ......*trzecia*......	15:00 ....
4:00	16:00 ....
5:00	17:00 ....
6:00	18:00 ....
7:00	19:00 ......*dziewiętnasta*......
8:00 ......*ósma*......	20:00 ....
9:00	21:00 *dwudziesta pierwsza*
10:00	22:00 ....
11:00	23:00 ....
12:00	24:00 ....

☐ *dwunasta*	☐ *dwudziesta*
☑ *dziewiętnasta*	☐ *dziewiąta*
☐ *siedemnasta*	☑ *ósma*
☐ *dwudziesta czwarta*	☐ *czternasta*
☐ *pierwsza*	☐ *szesnasta*
☐ *piąta*	☐ *dziesiąta*
☐ *piętnasta*	☐ *szósta*
☐ *druga*	☐ *osiemnasta*
☐ *trzynasta*	☐ *jedenasta*
☐ *czwarta*	☐ *siódma*
☐ *dwudziesta trzecia*	☐ *dwudziesta druga*
☑ *trzecia*	☑ *dwudziesta pierwsza*

8b **Proszę posłuchać dialogu i uzupełnić program kin.**

CD 48

KINOTEKA i KINO LETNIE
zapraszają na cykl filmowy **Dobre Polskie Kino**
wszystkie filmy z angielskimi napisami

KINOTEKA
poniedziałek – środa, Andrzej Wajda:
Człowiek z marmuru 14:00, Człowiek z żelaza ....:........, Wałęsa. Człowiek z Nadziei ....:........
czwartek – sobota, Krzysztof Kieślowski:
Amator 16:30, Przypadek ....:........, Podwójne życie Weroniki 21:........
niedziela – kino ....

KINO LETNIE
poniedziałek – niedziela, Agnieszka Holland:
Europa, Europa ....:15, W ciemności 20:30, Pokot ....:........

Klubokawiarnia Filmowa KLaTKA zaprasza także na pokazy filmowe „Nowe Polskie Kino" (po filmach dyskusja po angielsku). W repertuarze filmy takich reżyserów jak: Paweł Pawlikowski (Ida, Zimna Wojna), Małgorzata Szumowska (W imię, Body/Ciało, Twarz) i Wojciech Smarzowski (Wesele, Dom Zły, Róża). Od poniedziałku do niedzieli, godz. 10:15, ...:........ i 19:15.

Zapraszamy!

KTÓRA (JEST) GODZINA?

	Styl oficjalny	Styl nieoficjalny
21:00	dwudziesta pierwsza	dziewiąta
7:15 16:20	siódma piętnaście szesnasta dwadzieścia	piętnaście / kwadrans **po** siódm**ej** dwadzieścia **po** czwart**ej**
8:30 22:30	ósma trzydzieści dwudziesta druga trzydzieści	wpół **do** dziewiąt**ej** wpół **do** jedenast**ej**
17:55	siedemnasta pięćdziesiąt pięć	za pięć szósta

9a CD 49-52 **Proszę posłuchać nagrania i zdecydować, jaka jest prawidłowa kolejność dialogów oraz napisać, gdzie rozmawiają te osoby.**

☐ ....

Pan X: Przepraszam pana bardzo, która jest godzina?
Pan Y: Zaraz, chwileczkę, jest dokładnie 1:00.
Pan X: Na pewno?! Za 6 minut mam pociąg do Warszawy.
Pan Y: Ma pan mało czasu!

☐ ....

Wojtek: O cześć, Jacek! Przepraszam cię, wiesz, która jest godzina?
Jacek: 15:15
Wojtek: Tak? Już tak późno? Marta jest oczywiście znów niepunktualna. Czekam tu już pół godziny.
Jacek: O, to chyba idzie Marta...
Wojtek: No, jesteś nareszcie!
Marta: Przepraszam cię bardzo.

☐ ....

Tomek: Przepraszam, o której godzinie jest autobus do Zakopanego?
Kasjer: Rano, przed południem, po południu czy wieczorem?
Tomek: Rano i przed południem.
Kasjer: Autobusy do Zakopanego... Rano: godzina 6:00, 6:20, 7:00, 8:50, 10:07...
Tomek: Przepraszam, mówi pan za szybko, bardzo proszę mi to napisać...

☐ ....

Mężczyzna: Przepraszam panią, która jest teraz godzina?
Kobieta: Oj, nie wiem, niestety nie mam zegarka.

9b **Proszę zdecydować, które zdanie jest prawdziwe. Dlaczego?**

1. Pociąg do Warszawy jest za sześć pierwsza.
   Pociąg do Warszawy jest sześć po pierwszej.
2. Wojtek czeka na Martę od za piętnaście trzecia.
   Wojtek czeka na Martę od wpół do trzeciej.
3. Kasjer nie mówi wolno.
   Kasjer nie chce napisać, o której godzinie są autobusy wieczorem.
4. Kobieta nie wie, która jest godzina, bo nie ma zegarka.
   Kobieta pyta, bo nie wie, która jest godzina.

Wymowa

9c **Proszę powtórzyć za nauczycielem:**

- Zaraz, chwileczkę.
- Jest dokładnie 1:00.
- Na pewno?
- Tak? Już tak późno?
- Czekam tu już pół godziny.
- No, jesteś nareszcie.
- Przepraszam cię bardzo.
- Przepraszam, mówi pan za szybko!
- Bardzo proszę mi to napisać.
- Oj, nie wiem.
- Niestety, nie mam zegarka.

Wymowa

9d **Proszę ułożyć z kolegą / koleżanką dialogi analogiczne do tych z ćwiczenia 9a. Proszę przeczytać na głos te dialogi.**

GRAMATYKA

10a **Proszę napisać w stylu nieoficjalnym, która jest godzina.**

szesnasta piętnaście ....
osiemnasta dwadzieścia pięć ....
dwudziesta druga dziesięć ....
piętnasta trzydzieści ....
ósma czterdzieści pięć ....
dwudziesta trzecia pięćdziesiąt ....
dwunasta piętnaście ....
osiemnasta dwadzieścia ....

Wymowa

10b **Proszę przeczytać na głos, która jest godzina (w stylu oficjalnym i nieoficjalnym).**

GRAMATYKA

10c **Proszę napisać formy nieoficjalne.**

1:10 – jest dziesięć po ....
4:20 – jest dwadzieścia po ....
14:07 – jest siedem po ....
17:15 – jest piętnaście po ....
20:25 – jest dwadzieścia pięć po ....

19:30 – jest wpół do ....
21:30 – jest wpół do ....
11:30 – jest wpół do ....

15:55 – jest za pięć ....
10:55 – jest za pięć ....
12:50 – jest za dziesięć ....
17:49 – jest za jedenaście ....
20:40 – jest za dwadzieścia ....
1:45 – jest za kwadrans ....

10d **Proszę zapytać kolegę / koleżankę, która jest godzina.**

14:45	15:15	21:10	20:25
5:30	21:30	12:00	16:00
21:15	13:05	13:55	23:35
11:05	18:00	6:00	17:40
1:05	9:15	10:05	23:10
8:45	7:10	10:20	17:10
13:30	23:00	19:10	22:00
	4:55	18:30	

lekcja 7

I **Proszę utworzyć zdania.**

0. Umiem — a) taksówką.
1. Biorę — b) pracy.
2. Jem — c) książkę.
3. Idę — d) spać.
4. Myję — e) przyjaciółką.
5. Znam świetnie — f) gramatykę.
6. Oglądam — g) telewizję.
7. Czytam — h) tańczyć.
8. Idę na — i) przyjaciółkę.
9. Idę do — j) pieszo.
10. Wracam do — k) prysznic.
11. Spotykam się z — l) śniadanie.
12. Spotykam — ł) że ten film jest dobry.
13. Jadę — m) zęby.
14. Idę — n) domu.
15. Wiem, — o) spacer.

II **Które słowo nie pasuje do pozostałych? Dlaczego?**

1. piętnasta – piętnaście – szesnasta – siedemnasta
2. wpół do – po – za – w
3. rano – wieczorem – zwykle – przed południem
4. w południe – często – rzadko – nigdy
5. biorę – jadę – pisze – idę
6. z – do – na – ona
7. wracać – dzień – iść – jechać
8. taksówką – samochodem – pieszo – tramwajem
9. poniedziałek – o północy – wtorek – niedziela
10. dwudziesta – ósma – pięć – dziewiętnasta

Czy już to umiesz?

LEKCJA **8**

SYTUACJE KOMUNIKACYJNE	pytania: *o której (godzinie)? od - do której (godziny)?* • umawianie się na spotkanie • pytanie o informację (dworzec, hotel) • zamawianie taksówki • pomyłka telefoniczna • bilet na pociąg
SŁOWNICTWO	powtórzenie (godziny, opis dnia, dni tygodnia) • bilet na pociąg
GRAMATYKA I SKŁADNIA	powtórzenie: biernik (*idziemy na ...*) • dopełniacz liczby pojedynczej przymiotników, rzeczowników (*idziemy do ... / nie lubię ...*) oraz zaimków osobowych
MATERIAŁY AUTENTYCZNE	plan wizyty biznesmena • rozkład jazdy pociągów • bilet na pociąg

Może pójdziemy do kina?

• SŁOWNICTWO

O KTÓREJ (GODZINIE)
- **się spotkamy?**
- **jest film?**
- **zaczyna się lekcja?**
- **odjeżdża pociąg do Krakowa?**

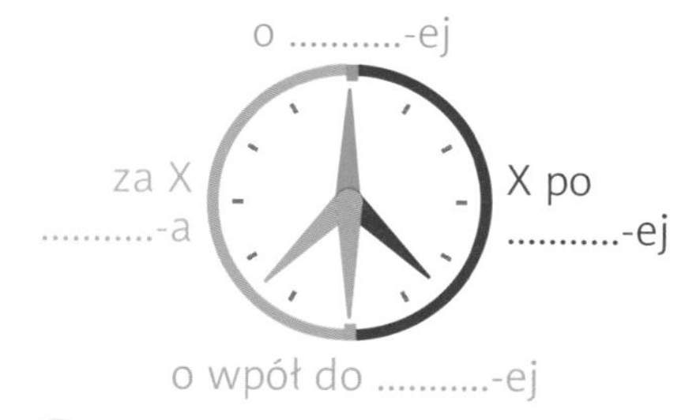

	oficjalnie 24h	nieoficjalnie 12h+12h
12:00	**o** dwunast**ej**	**o** dwunast**ej**
12:15	**o** dwunast**ej** piętnaście	piętnaście **po** dwunast**ej**
12:30	**o** dwunast**ej** trzydzieści	**o wpół do** pierwsz**ej**
12:45	**o** dwunast**ej** czterdzieści pięć	**za** piętnaście pierwsz**a**
13:00	**o** trzynast**ej**	**o** pierwsz**ej**

1a **Proszę uzupełnić tabelę.**

O KTÓREJ?	
1:00	o pierwsz**ej**
2:00	o drug**iej**
3:00	o trzeci.......
4:00	o czwart.......
5:00	o piąt.......
6:00	o szóst.......
7:00	o siódm.......
8:00	o ósm.......
9:00	o dziewiąt.......
10:00	o ....
11:00	o ....
12:00	o ....
13:00	o trzynastej
14:00	o czternast.......
15:00	o pi.......tnastej
16:00	o sze.......nastej
17:00	o s.......edemnastej
18:00	o osiemnast.......
19:00	o dziewiętnast.......
20:00	o ....
21:00	o dwudziest**ej** pierwsz**ej**
22:00	o ....
23:00	....
24:00	....

1b **Proszę podpisać rysunki, a następnie opowiedzieć, co i o której robi pan Kowalski.**

TYPOWY DZIEŃ PANA KOWALSKIEGO

7:00
....

7:10
....

7:20
....

8:00-12:00
....

12:00-12:30 (mieć) przerwę na obiad

12:30-16:30
....

19:00
....

19:45-22:00
....

22:00
....

1c **Ewa jest studentką programu Erasmus. Czy jej typowy dzień jest taki sam jak typowy dzień pana Kowalskiego? Proszę z kolegą / koleżanką zaplanować jej dzień.**

1d **Jaki jest Pana / Pani typowy dzień? Proszę go opisać (min. 50 słów).**

OD KTÓREJ DO KTÓREJ (GODZINY)? JAK DŁUGO?

Od której do której są lekcje? (9:00 – 13:00)
*Lekcje są **od** dziewiątej **do** trzynastej.*
Od której do której jest przerwa? (10:00 – 10:30)
*Przerwa jest **od** dziesiątej **do** wpół do jedenastej.*

7:25

....

7:40
(chodzić) do pracy

16:30

....

17:30

....

22:30

....

A jak Pan / Pani myśli, co robi pan Kowalski w weekendy?

Ortografia

2a **Proszę zapytać kolegę / koleżankę, od której do której zwykle:**

– ogląda telewizję? ....

– czyta? ....

– pracuje / ma zajęcia na uniwersytecie?
....

– uczy się polskiego? ....

– pisze e-maile lub przegląda strony internetowe?
....

– śpi?
....

2b **Proszę napisać słownie.**

Przykład: Wstaję o 7:30.
o siódmej trzydzieści (o wpół do ósmej).

a) W piątek mam lekcję o 13:00.
.... (..................................).

b) Zwykle robię zakupy o 15:00.
.... (..................................).

c) W niedzielę chodzę na spacer o 17:00.
.... (..................................).

d) Oglądam telewizję o 20:00.
.... (..................................).

e) Chodzę spać o 23:00.
.... (..................................).

2c **Czy te godziny są zapisane poprawnie? Proszę porównać swoje odpowiedzi z odpowiedziami kolegi / koleżanki.**

Przykład: o 12:00 = ~~o dwudziestej~~ o dwunastej

a) o 13:00 = o pierwszej ....

b) o 17:00 = o siódmej ....

c) o 23:00 = o dwudziestej trzeciej
....

d) o 14:00 = o czterdziestej ....

e) o 16:00 = o czwartej ....

POWTÓRZENIE

3 Gdzie są nazwy dni tygodnia? (6) → ↓

R	H	B	K	N	W	T	O	R	E	K	O	N
W	K	A	C	I	K	L	E	P	N	X	Z	I
P	O	N	I	E	D	Z	I	A	Ł	E	K	E
I	Ś	R	O	D	A	D	N	W	O	U	B	D
Ą	Ę	C	Z	W	A	R	T	E	K	C	Z	Z
T	R	M	I	M	N	I	E	G	O	R	Z	I
E	F	U	E	S	O	B	O	T	A	T	K	E
K	W	A	L	L	O	U	N	K	I	H	E	L
C	Z	Ł	A	W	T	G	V	S	Z	A	G	A

4 Proszę przeczytać notatki w kalendarzu pana Grubera, a następnie odpowiedzieć na pytania.

Plan wizyty pana Grubera w Polsce

7:00	samolot do Krakowa
10:00 - 11:00	spotkanie z panem Wójcikiem – dyrektorem firmy ABC
11:15 - 13:45	wizyta w Muzeum Narodowym i na Wawelu
14:00 - 15:00	dyskusja z dyrektorem finansowym koncernu XYZ
15:00 - 16:00	przerwa na obiad
16:30 - 17:30	wizyta w banku KTR
17:30 - 19:00	kolacja w japońskiej restauracji
20:00	samolot do Monachium

a) O której pan Gruber ma samolot do Krakowa?
b) Z kim ma spotkanie o 10:00?
c) O której idzie do muzeum?
d) Od której do której ma przerwę na obiad?
e) Gdzie je kolację?
f) O której wraca do Monachium?
g) Jak Pan / Pani myśli, kim jest pan Gruber? Co robi w Polsce?

CD 53

5 Proszę posłuchać nagrania *Andrzej mówi o sobie*, a następnie zdecydować, czy to prawda (P), czy nieprawda (N).

Przykład: Andrzej pracuje jako inżynier. (P) N

1. On pracuje od 9:00 do 18:00. P / N
2. Ma 30 minut przerwy na lunch. P / N
3. Wraca do domu o 17:30. P / N
4. Ogląda wiadomości. P / N
5. Nie ma żony. P / N
6. Gra w tenisa od 20:00 do 21:00. P / N
7. Czasem pracuje w sobotę od 10:00 do 14:00. P / N
8. W niedzielę nie odpoczywa, też pracuje. P / N

MOŻE SIĘ SPOTKAMY?

CD 54

6a Proszę posłuchać nagrania, a następnie zdecydować, czy to prawda (P), czy nieprawda (N).

Przykład: Beata dzwoni do Piotra. (P) N

1. Piotr robi coś interesującego. P / N
2. W kinie jest festiwal polskich filmów. P / N
3. Piotr lubi japońskie filmy. P / N
4. Piotr i Beata idą do restauracji. P / N

6b **Proszę przeczytać tekst dialogu z ćwiczenia 6a, a następnie odpowiedzieć na pytania.**

1. Co interesującego jest w teatrze?
2. Gdzie i o której Piotr i Beata się spotykają?
3. Jak Pan / Pani myśli, czy Piotr i Beata są rodzeństwem?

SPOTKANIE

Piotr: Słucham!
Beata: Cześć, tu Beata.
Piotr: A, cześć. Co słychać?
Beata: Dziękuję, wszystko w porządku. Co robisz?
Piotr: Nic specjalnego. Trochę pracuję na komputerze.
Beata: **Może pójdziemy do kina?**
Piotr: **Dobry pomysł**, ale nie wiem, co jest w kinie.
Beata: W „Apollo" jest festiwal filmów japońskich.
Piotr: Nie lubię filmów japońskich.
Beata: **Co proponujesz?**
Piotr: **Może teatr?**
Beata: Nie ma dzisiaj nic interesującego.
Piotr: **Może pójdziemy na kawę?** Znam nową, fajną kawiarnię.
Beata: Dobrze, gdzie się spotkamy? Gdzie jest ta kawiarnia?
Piotr: Na rynku, obok fontanny. To co, o szóstej?
Beata: Dobrze. Cześć!
Piotr: Na razie!

Umawiamy się na spotkanie

Może pójdziemy / Chcesz pójść	**do**	kina	teatru	kawiarni	pubu	restauracji?	(dopełniacz)
	na	film	spektakl	kawę i lody	piwo	obiad?	(biernik)
Proponuję	kino	film	teatr	lody	obiad	kawę	(biernik)
Kiedy masz czas? **Kiedy się spotkamy?**			w poniedziałek • we wtorek • w środę • w czwartek • w piątek • w sobotę • w niedzielę				
O której masz czas?			o pierwszej • o ósmej wieczorem •				
Gdzie się spotkamy?			w kawiarni • na rynku •				
O której się spotkamy?			o 20:00 •				

TAK	NIE	?
To dobry pomysł!	*Nie, nie lubię ..... .*	*Jeszcze nie wiem.*
Dobrze, dlaczego nie?	*Niestety, nie mogę. Jestem zajęty.*	*Może .....*
Świetnie, bardzo lubię	*Przepraszam, ale nie mam czasu.*	
To interesujące.	*To nudne. / Mam inne plany.*	

6c **Dokąd idziemy i na co? Proszę porównać swoje odpowiedzi z odpowiedziami kolegi / koleżanki.**

Idziemy

dokąd?	na co?
Przykład: do włoskiej kawiarni —	na kawę
1. do dobrej restauracji	a) na imprezę
2. do Teatru Starego	b) na koncert
3. do nowego klubu	c) na dyskotekę
4. do muzeum	d) na piwo
5. do filharmonii	e) na obiad / na kolację
6. do tej galerii	f) na wystawę
7. do koleżanki / do kuzyna	g) na spektakl
8. do dużego parku	h) na lekcję
9. do tego kina	i) na wystawę
10. do irlandzkiego pubu	j) na spacer
11. do polskiej szkoły	k) na film

6d **Proszę z kolegą / koleżanką dokończyć dialogi, a następnie przedstawić je na forum grupy.**

– Kiedy masz czas?
– W piątek. A dlaczego pytasz?
– Może pójdziemy do teatru?
– Nie. Wolę kino.
– ...

1

– Czy masz czas w poniedziałek o piątej?
– Niestety, nie. Mam lekcję angielskiego.
– Może w środę?
– Tak, w środę mam czas. Co proponujesz?
– Może .....

6e **Jakie Pan / Pani ma plany? Proszę uzupełnić ten kalendarz w kilku miejscach.**

MÓJ PLAN

	w poniedziałek	**we** wtorek	w środę	w czwartek	w piątek	w sobotę	w niedzielę
9:00 – 12:00							
12:00 – 16:00							
16:00 – 20:00							
20:00 – 24:00							

6f **Proszę umówić się na spotkanie z trzema osobami z grupy, a następnie wpisać do tabeli z ćwiczenia 6e terminy spotkań i informacje o tych spotkaniach.**

- *Kiedy masz czas? Czy masz czas w ....., o .....?*
- *Może pójdziemy do .....?*
- *Co proponujesz?*
- *Może ..... .*
- *Gdzie się spotkamy? O której?*

CD 55-56

6g **Joanna jest bardzo zajęta. Proszę posłuchać dwóch dialogów i wpisać do tabeli, kiedy i o której Joanna:**

a) ma wizytę u dentysty?

b) spotka się z Karoliną?

	w poniedziałek	**we** wtorek	w środę	w czwartek	w piątek	w sobotę	w niedzielę
9:00 – 12:00	*lekcja angielskiego*						
12:00 – 16:00		*basen (14 – 15)*				*obiad z rodzicami*	
16:00 – 20:00							
20:00 – 24:00			*randka z Michałem*				

• GRAMATYKA **DOPEŁNIACZ LICZBY POJEDYNCZEJ**

7a **Proszę wpisać po trzy formy dopełniacza z ćwiczenia 6c.**

rodzaj męski	rodzaj żeński	rodzaj nijaki
do nowego klubu	*do dobrej restauracji*	*do tego kina*
....	....	....
....	....	....
....	....	....

7b **Jak Pan / Pani myśli, jakie są końcówki dopełniacza? Proszę porozmawiać z kolegą / koleżanką.**

7c **Proszę sprawdzić reguły w tabeli.**

DOPEŁNIACZ: Kogo? Czego? liczba pojedyncza

	rodzaj męski		rodzaj żeński	rodzaj nijaki
Przykłady:	Idę do mo**jego** kuzyn**a**. Idziemy do now**ego** klub**u**. We wtorek o 18.00 idę do dentyst**y**.		Chodzę do polsk**iej** szkoł**y**. Idziemy do now**ej** dyskotek**i**.	Może pójdziemy do now**ego** kin**a** albo do muze**um**?
przymiotnik JAKIEGO? JAKIEJ? JAKIEGO?	**-ego** nowego (k, g) **-iego** polsk**iego**		**-ej** nowej (k, g) **-iej** polsk**iej**	**-ego** nowego (k, g) **-iego** polsk**iego**
rzeczownik KOGO? CZEGO?	NIEŻYWOTNY **-a** Krakowa **-u** klub**u**	ŻYWOTNY **-a** kuzyn**a** = BIERNIK **-y** poet**y** (k, g) **-i** koleg**i**	**-y** szkoł**y** (k, g, l, j, si, zi, ci, dzi, ni) **-i** dyskotek**i**, babc**i**	**-a** kin**a** **-um** muze**um** = MIANOWNIK

To sympatyczny Polak.

On jest sympatycznym Polakiem.

On ma sympatyczną rodzinę: ojca, matkę, żonę, dziecko i psa.

Pan Kowalski

Lubi chodzić do restauracji, ale nie lubi pić kawy.

7d **Proszę przeczytać jeszcze raz wszystkie formy z ćwiczenia 6c i określić, które formy są rodzaju męskiego, żeńskiego, a które nijakiego.**

7e **Proszę uzupełnić tabelę według wzoru.**

Mianownik	Biernik	Dopełniacz
a) Centrum jest blisko.	a) Lubię centrum.	a) Może pójdziemy do centrum?
b) Gdzie jest dobra restauracja?	b) Znasz dobrą restaurację?	b) Idziemy do ....
c) Warszawa jest popularna.	c) Lubisz .... ?	c) Jadę do ....
d) W Krakowie jest Teatr Stary.	d) Lubię	d) W weekend idę do ....
e) W weekend jest świetny koncert w klubie!	e) Chciałbyś pójść na .... ?	e) Chciałbyś pójść do .... ?
f) Jest nowy pub na rynku.	f) Znasz .... na rynku?	f) Idziesz z nami do .... ?
g) W kinie „Odeon" grają nowy film Spielberga.	g) Chcesz iść na .... Spielberga?	g) Chcesz pójść do .... na film Spielberga?

Wymowa

8a Co Monika i Robert robią w wolnym czasie? Proszę przeczytać dialog, a następnie odegrać go z kolegą / koleżanką.

8b Proszę zapytać kolegę / koleżankę, a następnie wpisać informacje do tabeli.

	Czy lubisz?	
Co?	**Tak, lubię ..... .**	**Nie, nie lubię ..... .**
język polski		
boks		
teatr		
włoski makaron		
ciemny ryż		
japońska kuchnia		
muzyka jazzowa		
publiczna telewizja		
zupa pomidorowa		
woda mineralna		
czarna kawa		
niemieckie piwo		
polskie kino		
francuskie wino		
mięso		

UWAGA!

***tak* + biernik / *nie* + dopełniacz**
Lubię kawę. Nie lubię herbaty.
Lubię japońską kuchnię.
Nie lubię francuskiej kuchni.

Ale: Nie interesuję się sportem, interesuję się teatrem.
Nie jestem Polakiem, jestem Francuzem.
To nie jest francuska kuchnia, to jest niemiecka kuchnia.

8c **Proszę odpowiedzieć na pytanie: Czego lub kogo Pan / Pani nie lubi?**

Nie lubię ....

....

8d **Proszę zapytać kolegów z grupy, czego / kogo nie lubią? Proszę wpisać odpowiedzi do tabeli. Czego / kogo nie lubi większość grupy?**

Imię	On / ona nie lubi .....
....	....
	....
....	....
	....
....	....
	....
....	....
	....
....	....
	....

8e **Proszę dokończyć zdania (min. 3 przykłady).**

a) Lubię chodzić do:

....

....

....

b) Lubię chodzić na:

....

....

....

c) Nie lubię pić:

....

....

....

d) Nie mam:

....

....

....

e) Nie ....

....

....

....

9a **Proszę w grupie przeczytać dialog na głos.**

Co Pan / Pani myśli o tych osobach?

ZAIMKI OSOBOWE – DOPEŁNIACZ

ja	**mnie**	my	**nas**
ty	**cię, ciebie**	wy	**was**
on, ono	**go, niego, jego**	oni	**ich, nich**
ona	**jej, niej**	one	**ich, nich**

Nie lubię **go**. (*czasownik + krótka forma*)
To jest prezent dla **niego**. (*przyimek + n...*)
Jego nie lubię, ale lubię **ją**. (*akcent intencjonalny i początek zdania + długa forma*)

9b **Proszę uzupełnić zdania.**

Przykład: Nie lubię ...jej.... . (ona)

a) On .... nie lubi. (ono)
b) Dlaczego ty .... nie lubisz? (on)
c) Oni .... nie znają. (one)
d) Nie rozumiem .... (ty)
e) Ona .... nie lubi. (oni)
f) On nie czyta gazet. On nigdy .... nie kupuje.
g) Ja nie lubię tego wina. Nigdy .... nie piję.
h) My .... nie lubimy. (wy)
i) Wy .... nie lubicie. (my)

lekcja 8

9c Proszę uzupełnić dialogi.

Przykład: Czy znasz panią Beatę? Nie, *nie znam jej*.

a) – Czy zna pan profesora Bobińskiego?
– Nie, ... osobiście.

b) – Czy znasz moją koleżankę Anię?
– Nie, ..., ale wiem, że razem pracujecie.

c) – Czy znasz tego poetę?
– .... Jest Polakiem?
– Nie, Czechem.

d) – Czy znasz tego artystę?
– ....
– Jest bardzo utalentowany.

e) – Czy znasz Dorotę Torbicką?
– Myślę, że nie.
– Też studiuje biologię.
– Nie, ...

f) – Czy znacie pana Kowalskiego?
– To ten wysoki i szczupły? Nie, ...

g) – Czy zna pani osobiście dyrektora szkoły?
– ....

h) – Czy lubisz ten film?
– .... Jest bardzo nudny.

i) – Czy znasz tę książkę?
– .... Jest dobra?
– Świetna.

j) – Czy umiesz robić omlet?
– .... Nie jestem dobrym kucharzem.

k) – Czy rozumiesz ten tekst?
– .... Jest za trudny.

l) – Czy idziesz dzisiaj do państwa Nowaków?
– .... Nie mam dzisiaj czasu.

m) – Czy wracasz od babci?
– .... Wracam od koleżanki.

SŁOWNICTWO

PODRÓŻ ADAMA

Ortografia

10a Adam pisze e-mail do Kasi. Proszę wpisać polskie litery w tym e-mailu.

Czesc, Kasiu! Planuje przyjechac do Krakowa w piatek. Czy masz czas po poludniu? Moze pojdziemy do kawiarni albo na koncert?
Pa! Adam

Kasia odpowiada SMS-em (= krótko). Proszę napisać ten SMS (z polskimi znakami).

CD 57

10b Adam chce jechać do Krakowa. Dzwoni do informacji PKP. Proszę wysłuchać nagrania, a następnie zapisać, o której godzinie są pociągi do Krakowa.

W INFORMACJI PKP

– Dzień dobry. O której są pociągi do Krakowa?
– Pospieszne, ekspresowe czy InterCity?
– Pospieszne.
– Rano o .... , potem o .... po południu i jeden o .... wieczorem.
– A ekspresowe?
– Są tylko dwa – o .... i ....
– A ile kosztuje bilet?
– O to proszę zapytać w kasie.
– Dziękuję.

InterCity Premium

Express InterCity

pociąg pospieszny

pociąg osobowy

10c **Proszę z kolegą / koleżanką przygotować podobny dialog *W punkcie informacji PKP* (ćwiczenie 10b), a następnie zaprezentować go na forum grupy.**

10d **Adam kupuje bilet na pociąg do Krakowa. Proszę obejrzeć film lub wysłuchać nagrania, a następnie zdecydować, czy to prawda (P), czy nieprawda (N).**

CD 58 DVD 13

W KASIE BILETOWEJ

1. Adam kupuje bilet normalny. P / N
2. Adam kupuje bilet na pociąg ekspresowy. P / N
3. Pociąg jest o wpół do jedenastej. P / N
4. Adam wybiera miejsce przy oknie. P / N
5. Bilet kosztuje sześćdziesiąt złotych. P / N
6. Adam płaci gotówką. P / N

UWAGA!

bilet normalny = 100% ceny
bilet ulgowy = 30–70% ceny

lekcja 8

10e **Proszę z kolegą / koleżanką przygotować dialog *W kasie biletowej*, a następnie zaprezentować go na forum grupy. Proszę wykorzystać frazy:**

- *pociąg ekspresowy*
- *bilet ulgowy*
- *druga klasa*
- *ile kosztuje?*
- *z rezerwacją*
- *miejsce przy oknie*
- *bilet w jedną stronę*
- *bilet w dwie strony*

....
....
....
....
....
....
....
....
....
....
....

10f **Proszę posłuchać trzech dialogów i odpowiedzieć na pytania.**

CD 59-61

a) **Adam dzwoni do recepcji hotelu.**
O której godzinie planuje wstać?
....

b) **Adam chce zamówić taksówkę, ale dzwoni pod zły numer.**
To pomyłka, Adam chce dzwonić pod numer 12 411 29 15, ale dzwoni pod numer ....

c) **Adam zamawia taksówkę.**
Jaki jest adres? ....
Za ile minut będzie auto? ....
Jaka jest marka samochodu? ....

10g **Proszę z kolegą / koleżanką ułożyć dialog *Spotkanie Adama i Kasi w Krakowie*, a następnie zaprezentować ten dialog na forum grupy.**

11 Proszę przeczytać internetowy rozkład jazdy pociągów PKP, a następnie odpowiedzieć na pytania.

1. O której godzinie jest pierwszy pociąg bez przesiadki do Warszawy? ....

....
2. Mieszka Pan / Pani w Krakowie i ma konferencję w Warszawie o 13:00. O której godzinie ma Pan / Pani ostatni pociąg do Warszawy? ....
3. Mieszka Pan / Pani w Warszawie, ale dziś spędza jeden dzień w Krakowie. O której ma Pan / Pani ostatni pociąg do domu?

....
4. Mieszka Pan / Pani w Krakowie i ma samolot z Warszawy do Frankfurtu o 9:00. O której musi Pan / Pani pojechać do Warszawy? ....

....
5. Pana / Pani kolega organizuje przyjęcie w Warszawie. Przyjęcie zaczyna się o 21:00. O której godzinie musi Pan / Pani pojechać do Warszawy? ....
6. Jedzie Pan / Pani pociągiem z Krakowa do Warszawy o 1:14. Ile godzin spędzi Pan / Pani w pociągu? ....

Ze stacji	Do stacji	Przesiadki	Odjazd	Przyjazd	Czas podróży
Kraków Główny	Warszawa Centralna	0	0:44	5:45	5:01
Kraków Główny	Warszawa Centralna	0	1:14	6:15	5:01
Kraków Główny	Warszawa Centralna	1	2:13	7:00	4:47
Kraków Główny	Warszawa Centralna	1	4:15	8:35	4:20
Kraków Główny	Warszawa Centralna	0	6:00	8:19	2:19
Kraków Główny	Warszawa Centralna	0	7:00	9:19	2:19
Kraków Główny	Warszawa Centralna	0	8:00	10:19	2:19
Kraków Główny	Warszawa Centralna	0	9:00	11:19	2:19
Kraków Główny	Warszawa Centralna	1	9:01	13:35	4:34
Kraków Główny	Warszawa Centralna	0	11:00	13:19	2:19
Kraków Główny	Warszawa Centralna	1	11:44	15:35	3:51
Kraków Główny	Warszawa Centralna	0	13:00	15:19	2:19
Kraków Główny	Warszawa Centralna	0	14:00	16:19	2:19
Kraków Główny	Warszawa Centralna	0	15:00	17:19	2:19
Kraków Główny	Warszawa Centralna	0	16:00	18:19	2:19
Kraków Główny	Warszawa Centralna	0	18:00	20:19	2:19
Kraków Główny	Warszawa Centralna	0	19:00	21:19	2:19
Kraków Główny	Warszawa Centralna	0	20:00	22:19	2:19
Kraków Główny	Warszawa Centralna	0	20:38	1:47	5:09
Kraków Główny	Warszawa Centralna	0	21:10	2:12	5:02

Na podstawie: www.pkp.pl

7. Jedzie Pan / Pani pociągiem z Krakowa o 11:00. O której jest Pan / Pani w Warszawie – czy ma Pan / Pani przesiadkę? ....
8. Jest Pan / Pani w Warszawie o godzinie 15:35. O której odjechał pociąg z Krakowa? ....

12 Proszę obejrzeć bilet i zdecydować, czy to jest prawda (P), czy nieprawda (N).

„PKP Intercity" Spółka Akcyjna BILET PRZEJAZD TAM
POC: EIP NORMAL. : 1 (0)
OF: 1 ULG. : 0
6-WCZEŚNIEJ

31	⏲	OD / VON / DE	DO / NACH / À	31	⏲	KL
28.06	05:56	Kraków Gł.	->Gdańsk Wrzeszcz	28.06	11:14	2
*	*	*	-> *	*	*	*

PRZEZ: Idzik.*Warszawa Centr.*Iława Gł.*Gdańsk Gł.

KRAKÓW GŁ 05:56 -> GDANSK WRZ 11:14 Przewoźnik: PKP IC
POC. 3508 WAGON 5 001 M. DO SIEDZENIA 31 OKNO KM: 625
**179.10
Wagon bez przedziałów
CENA PREIS PRIX PLN KARTA **13.27
51382137S224 NIP 5262544258 PTU 8%
IC080834671 0204#079921037/075
Kraków Płaszów 086841 19.06.18 20:57 BAZ 10083470
IC 808346711

1. To jest bilet z Krakowa do Gdańska. 
2. To jest bilet w jedną stronę (tam). P / N
3. Numer miejsca to: wagon 5, miejsce 31. P / N
4. To jest bilet dla jednej osoby. P / N
5. Pociąg przyjeżdża do Gdańska o 5:56. P / N

I **Proszę przeczytać dialog, a następnie odpowiedzieć na pytania.**

a) Kto dzwoni do kogo?
b) Kto nie może być na spotkaniu we wtorek?
c) Dlaczego pan Styczeń nie może mieć spotkania w środę?
d) Kiedy oni się spotkają?
e) O której się spotkają?

– Dzień dobry, mówi Anna Kwiatkowska.
– Dzień dobry pani. Roman Styczeń przy telefonie.
– Dzwonię w sprawie spotkania we wtorek. Niestety, nie mogę być na tym spotkaniu.
– O, szkoda. Może w innym terminie ma pani czas?
– Tak, proponuję środę.
– Niestety, w środę cały dzień jestem bardzo zajęty.
– Więc może czwartek?
– Tak, w czwartek mam czas. O jedenastej?
– Doskonale. Dziękuję i jeszcze raz przepraszam.
– Nic nie szkodzi. Do widzenia pani.
– Do widzenia.

II **Proszę zmienić dialog z ćwiczenia I na dialog nieoficjalny.**

III **Proszę na głos przeczytać zdania. Uwaga na wymowę *r* i *l*.**

- Kaszel przy kolacji jest niekulturalny.
- Koleżanka, która jest trenerką jogi, robi figurę „Kwiat lotosu".
- Krokodyle w Nilu są bardzo agresywne.
- W Tatrach łatwo o lawiny.
- Czerwone korale są typowym elementem ludowego folkloru.
- Spiker radiowy podaje w reklamie numer telefonu.
- Barbara nie lubi, kiedy jej córka maluje kolorowe obrazy.
- Robert lubi pomarańcze, ogórki i lody czekoladowe.

IV **Julia Nowacka chce umówić się na manicure. Proszę ułożyć kolejność zdań w dialogu.**

[1] Dzień dobry, salon kosmetyczny, słucham.
[ ] Jutro o piątej.
[ ] Proszę bardzo. Na kiedy?
[ ] Dzień dobry, chciałabym umówić się na manicure.
[ ] Dobrze, pasuje mi o piątej.
[ ] Pani nazwisko?
[4] A jaki jest pierwszy wolny termin?
[ ] Julia Nowacka.
[ ] Zapraszam jutro o piątej.
[ ] Dziękuję. Do widzenia.
[ ] Do widzenia.

LEKCJA 9

Robimy zakupy

SYTUACJE KOMUNIKACYJNE: zakupy w sklepie spożywczym i odzieżowym • komplementowanie

SŁOWNICTWO: nazwy sklepów • Ile?: kilo, litr, pudełko itd. • ubrania i kolory • idiomy: *czarna owca, jasne jak słońce, zielony z …, czerwony jak burak*

GRAMATYKA I SKŁADNIA: dopełniacz liczby mnogiej przymiotników i rzeczowników (*Ile? Nie lubię …*) • struktury: *mam na sobie, noszę, podoba mi się*

MATERIAŁY AUTENTYCZNE: odzieżowy sklep internetowy – strona www • metki odzieżowe • artykuł na temat mody

SŁOWNICTWO

Ortografia

1a Co kupujemy w tych sklepach? Proszę dopasować nazwy produktów do nazw sklepów.

Centrum Handlowe MAMONA

KSIĘGARNIA	APTEKA	SKLEP KOMPUTEROWY
....	....	....
....	....	....
....	....	....

ARTYKUŁY RTV i AGD	KWIACIARNIA	SKLEP ODZIEŻOWY
....	....	*ubrania*
....	....	....
....	....	....

SKLEP OBUWNICZY	SKLEP SPOŻYWCZY	SALON OPTYCZNY
....	....	....
....	....	....
....	....	....

ubrania✓ komputery telewizory książki chleb płyty CD okulary korekcyjne radia atlasy i mapy bukiety buty termometr róże i tulipany tabletki aparaty fotograficzne warzywa i owoce dżinsy syrop swetry bluzki sandały okulary przeciwsłoneczne

1b Proszę posłuchać nagrania, a następnie dopasować dialogi do ilustracji.

CD 62-64

Dialog nr ☐

Dialog nr ☐

Dialog nr ☐

SKLEP SPOŻYWCZY

Ortografia

2a Proszę podpisać rysunki.

kilogram✓ butelka kawałek paczka pudełko puszka pół słoik plasterek

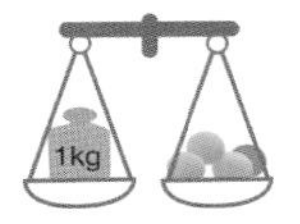

a) *kilogram*

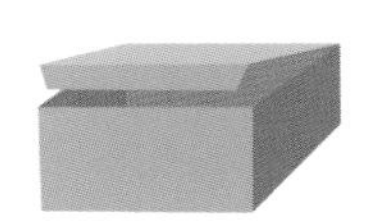

b) ....

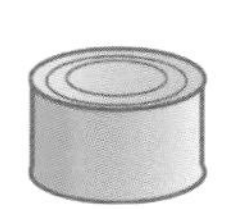

c) ....

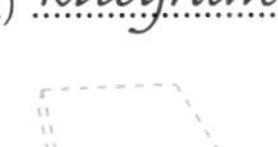

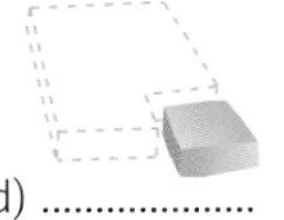

d) ....

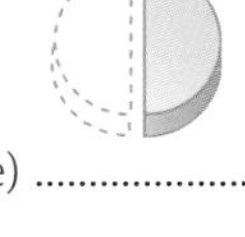

e) ....

f) ....

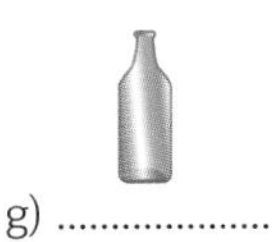

g) ....

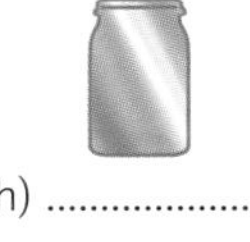

h) ....

i) ....

Ortografia

2b Proszę uzupełnić listę zakupów, a następnie z kolegą / koleżanką dodać do listy inne produkty.

a) kilo (kilogram) – pół kilo (pół kilograma) – 25 deka *ziemniaków*
b) butelka – litr – pół litra ....
c) kawałek ....
d) paczka ....
e) pudełko ....
f) puszka ....
g) pół ....
h) słoik ....
i) 15 plasterków ....

pepsi pizzy ziemniaków✓ kurczaka wody sardynek ciastek kawy soku piwa jabłek herbaty pomidorów chleba dżemu majonezu kiełbasy sera

Wymowa

2c Sklep BANKRUT. Proszę posłuchać dialogu, a następnie przeczytać go na głos z kolegą / koleżanką.

CD 65

Klientka: Proszę wodę mineralną i kawę Jacobs.
Sprzedawca: Butelkę wody mineralnej i paczkę kawy Jacobs?
– Tak, oczywiście.
– Nie ma wody mineralnej ani kawy.
– Proszę banany i ziemniaki.
– Ile?
– Pół kilo bananów i 2 kilo ziemniaków.
– Nie ma bananów. Ziemniaków też nie ma.
– A czy jest włoskie wino?
– Nie ma włoskiego wina. Francuskiego też nie ma.
– A co jest?
– Nic nie ma. Sklep jest zamknięty.
– Więc co pan tu robi?!
– Mieszkam.

2d Proszę uzupełnić listę produktów z dialogu w sklepie BANKRUT.

Kupić:
butelkę wody mineralnej,
....
....
....
....

• GRAMATYKA

ILE?

kilogram, litr, butelka ..... + dopełniacz

3a **Co można kupić w sklepie spożywczym? Proszę dodać kilka produktów do listy.**

liczba pojedyncza

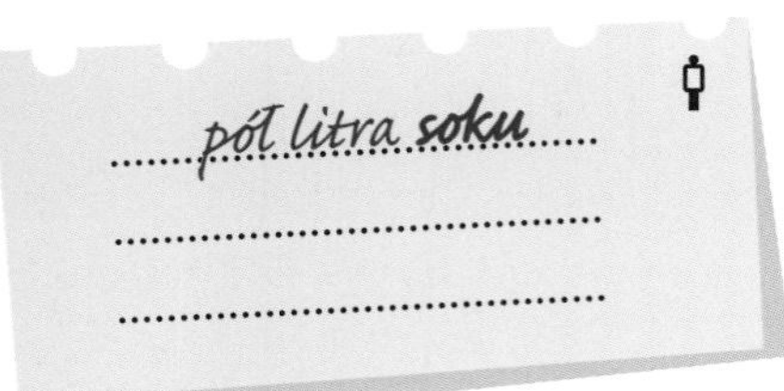

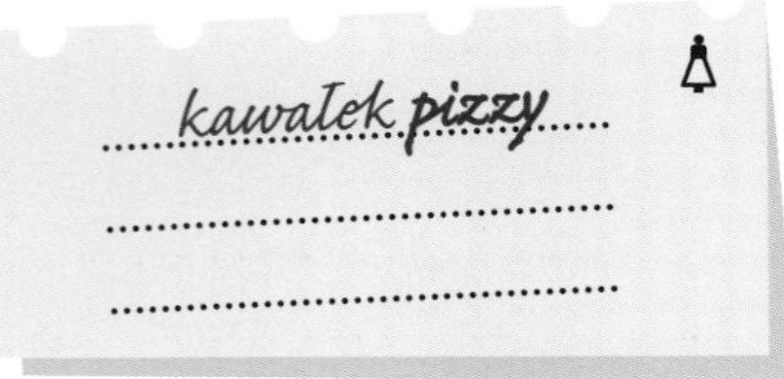

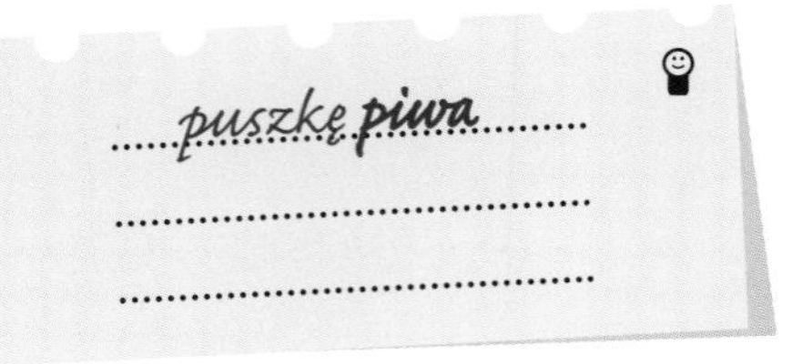

Proszę uporządkować produkty z listy:

liczba mnoga

kilo ziemniaków✓ kilo pomidorów puszkę sardynek kilo jabłek pudełko ciastek kilo cytryn pół kilo bananów dwa kilo ogórków kilo ryb opakowanie jajek

kilo ziemniaków ....

....

3b **Czy wie Pan / Pani, jaka jest reguła dopełniacza liczby mnogiej? Proszę porozmawiać z kolegami. Proszę sprawdzić regułę w tabeli.**

DOPEŁNIACZ: Kogo? Czego? liczba mnoga

	rodzaj męski	rodzaj żeński	rodzaj nijaki
Przykłady:	Proszę 2 kilo dobr**ych** pomidor**ów** i polsk**ich** ogórk**ów**. Nie znam t**ych** kuchar**zy**. Kawa dla wszystk**ich** gośc**i**!	Proszę kilo dobr**ych** cytryn, 2 kilo ładn**ych** pomarańcz**y**, puszkę hiszpańsk**ich** sardyn**e**k, pół kilo polsk**ich** jabł**e**k i 10 ekologiczn**ych** ja**j**ek. Tutaj jest dużo now**ych** kawiarn**i** i interesując**ych** muze**ów**.	
przymiotnik JAKICH?	**-ych** dobr**ych** (k, g) **-ich** polsk**ich**		
rzeczownik KOGO? CZEGO?	**-ów** pomidor**ów** sz, ż/rz, cz, dż, c, dz **-y** kuchar**zy** ś, ź, ć, dź, ń, l, j **-i** gośc**i**	**-ø** cytryn, sardyn**e**k sz, ż/rz, cz, dż, c, dz **-y** pomarańcz**y** ś, ź, ć, dź, ń, l, j **-i** kawiarn**i**	**-ø** jabł**e**k, ja**j**ek **-ów** muze**ów**

UWAGA!
2 spółgłoski,
np.: jabłko – jabł**e**k; jajko – jaj**e**k
ø : e

To sympatyczny Polak.

On jest sympatycznym Polakiem.

On ma sympatyczną rodzinę: ojca, matkę, żonę, dziecko i psa.

Lubi chodzić do restauracji, ale nie lubi pić kawy.

Zwykle kupuje dużo warzyw, owoców i soków.

4a Proszę uzupełnić tabelkę: *Lista zakupów na imprezę.*

Impreza studencka	Bal dla dzieci	Przyjęcie w ambasadzie
....	....	....
....	....	....
....	....	....
....	....	....
....	....	....
....	....	....
....	....	....
....	....	....

4b Jak nazywa się narodowe danie w Pana / Pani kraju? Jakie ma składniki?

Polskie danie – bigos (6 porcji)

Składniki:

- 1,5 kg kiszonej kapusty
- kawałek kiełbasy
- 0,5 kg mięsa
- trochę grzybów suszonych
- 2 cebule
- 150 ml czerwonego wina

Danie: ....

Składniki:

....
....
....
....
....
....
....
....
....
....
....
....
....
....

Wymowa

5a Proszę przeczytać na głos dialog.

– To skandal! W tym sklepie **nie ma tanich pomidorów, hiszpańskich bananów, dobrych jabłek i włoskich cytryn**. Nie ma też **świeżych jajek.**

– Ja nie lubię **owoców** i **warzyw**. **Ryb** i **jajek** też nie jem. I nie lubię robić z tobą zakupów.

jest / są + mianownik
nie ma + dopełniacz

GRAMATYKA

5b **Proszę napisać zdania według wzoru.**

	Klient: *Poproszę .....*	**Sprzedawca:** *Nie ma .....*
ser żółty	*ser żółty*	*sera żółtego*
jogurt owocowy		
majonez		
dżem pomarańczowy		
chleb		
sok jabłkowy		
kawa naturalna		
woda mineralna		
herbata owocowa		
papryka		
mleko		
piwo		
młode ziemniaki	*młode ziemniaki*	*młodych ziemniaków*
polskie pomidory		
ekologiczne ogórki		
kolumbijskie banany		
małe frytki		
hiszpańskie sardynki		
ekologiczne jajka		
ciastka czekoladowe		
polskie jabłka		

CD 66

6 **Pan Kowalski robi zakupy. Proszę posłuchać dialogu w sklepie, a następnie odpowiedzieć, który paragon należy do pana Kowalskiego.**

1

puszka sardynek	3.00 zł
20 deka sera gouda	2.70 zł
1 chleb	1.70 zł
pół kilo pomidorów	5.00 zł
RAZEM	12.40 zł

2

chleb	2.25 zł
20 deka masła	3.73 zł
5 bułek	2.00 zł
kilo pomidorów	5.60 zł
RAZEM	13.58 zł

3

paczka herbaty	4.40 zł
20 deka szynki	3.46 zł
pół kilo pomidorów	2.80 zł
RAZEM	10.66 zł

SŁOWNICTWO UBRANIE, SKLEP ODZIEŻOWY, KOMPLEMENTY

 **7a** **Proszę przeczytać ofertę sklepu internetowego, a następnie powiedzieć, co Pan chciałby / Pani chciałaby zamówić z tej oferty.**

sukienka 333 zł

żakiet 215 zł

sweter 139 zł

spodnie dżinsowe 220 zł

kostium damski 514 zł

koszula 177 zł

czapka, szalik, rękawiczki 100 zł

bluzka 135 zł

spódnica 137 zł

krawat 50 zl

PROMOCJA
marynarka 430 zł
+ spodnie 310 zł
= garnitur 700 zł

Wszystkie ubrania – duże i małe, eleganckie i sportowe, szerokie i wąskie, krótkie i długie, tanie i drogie, modne i niemodne – kupisz tutaj! Mamy wszystko, co ci się podoba.

UWAGA!
To nie to samo:
bluza ≠ bluzka
kurtka ≠ żakiet

Wymowa

7b **Proszę przeczytać na głos nazwy ubrań z oferty sklepu. Te, które są dla Pana / Pani fonetycznie trudne, proszę powtórzyć na głos 3–4 razy, najpierw bardzo powoli, potem bardzo szybko.**

7c **Proszę zapytać kolegę / koleżankę:**

a) Jak myślisz, czy ubrania w tym sklepie są ładne i tanie?
b) Jakie są ceny ubrań w Twoim kraju?

Ortografia

7d **Proszę podpisać rysunki.**

CO MASZ NA SOBIE?

Dzisiaj mam na sobie białą bluzkę, szarą spódnicę i niebieskie buty.

Dzisiaj \ Teraz / **mam na sobie .....** (+biernik).

 **8a** **Co masz na sobie dzisiaj?**

Dzisiaj mam na Sobie
pomarancowy i niebieski kosula
w kra
....

8b **Proszę opisać osobę z jednej fotografii. Kolega / koleżanka musi odgadnąć, o której fotografii Pan / Pani mówi.**

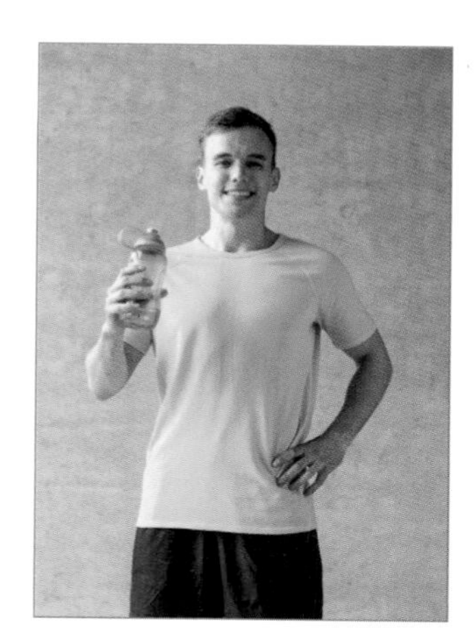

8c **Proszę wybrać jedną osobę z grupy i opisać, co on / ona ma na sobie. Grupa musi odgadnąć, o kim Pan / Pani mówi.**

9 **Proszę porozmawiać z kolegą / koleżanką.**

a) Jakie kolory lubisz?
b) Jakie kolory Twoim zdaniem są optymistyczne, jakie energetyzujące, jakie relaksujące, a jakie pesymistyczne?
c) Jakie ubranie Twoim zdaniem jest już niemodne?
d) Jakie ubranie jest hitem tego sezonu?

Proszę porównać swoje odpowiedzi z odpowiedziami reszty grupy.

CO LUBISZ NOSIĆ?

Często noszę dżinsy, gruby sweter, ciepłe buty i sportową kurtkę.

Zwykle na wakacjach noszę dżinsowe szorty, podkoszulek, okulary przeciwsłoneczne i sandały albo tenisówki.

Zawsze \
Zwykle – **noszę .....** (+biernik).
Często /

10a **Co zwykle nosisz?**

....
....
....
....

GRAMATYKA KONIUGACJA CZASOWNIKA *NOSIĆ*

Ortografia

10b **Proszę uzupełnić formy koniugacji.**

nosić	
ja	noszę
ty	no**si**sz
on / ona / ono	no.....i
my	no.....my
wy	no.....cie
oni / one	no.....ą

10c **Proszę zapytać kolegę / koleżankę:**

a) Jakie ubranie nosisz na oficjalne spotkanie?
....
b) Jakie jest Twoje ulubione domowe ubranie?
....
c) Jakie ubranie nosisz w pracy lub w szkole?
....
d) Co zwykle nosisz na wakacjach?
....
e) Jakie jest odpowiednie ubranie na pierwszą randkę – dla kobiety i dla mężczyzny?
....
....
f) Czego nie lubisz nosić?
....

Proszę zrelacjonować odpowiedzi kolegi / koleżanki na forum grupy.

SŁOWNICTWO KOMPLEMENTY

CD 67 **11a Proszę posłuchać dialogów, a następnie określić, kto rozmawia (osoby młode, starsze) i w jakiej sytuacji (w kontakcie formalnym / nieformalnym).**

a
– Podoba mi się twój krawat.
– Dziękuję.

b
– Masz ładną sukienkę.
– Naprawdę? Nie jest nowa.

c
– Masz świetne dżinsy!
– Mówisz serio? Dziękuję!

d
– Ładnie panu w tym garniturze.
– Dziękuję pani. Jest pani bardzo miła.

e
– Świetnie wyglądasz!
– Dziękuję, miło mi to słyszeć!

podobać się + mianownik				
Podoba	mi	nam	się	twoja koszula (l. poj.)
	ci	wam		
Podobają	mu / jej	im	się	twoje okulary (l. mn.)

11b Proszę powiedzieć komplement koledze / koleżance, który / która siedzi obok. On / ona mówi komplement następnej osobie, następna osoba kolejnej.

SKLEP ODZIEŻOWY „U KRAWCA"

CD 68 **12 Proszę posłuchać sześciu krótkich dialogów, a następnie zdecydować, czy to prawda (P), czy nieprawda (N).**

Przykład: Biała spódnica kosztuje 119 zł. P / (N)

a) Klient chce kupić zielony podkoszulek. P / N
b) Buty są czarne. P / N
c) Dziewczyna kupuje szeroką dżinsową spódnicę. P / N
d) Ubranie jest tanie, bo jest w promocji. P / N
e) Klient nie kupuje tego garnituru. P / N

Klient: Czy mogę zobaczyć ten zielony sweter?
Ekspedient: Jaki **rozmiar**?
Klient: 50.
Ekspedient: Proszę bardzo.
Klient: Czy mogę **przymierzyć**?
Ekspedient: Tak, oczywiście. Tam jest **przymierzalnia**.
(Po chwili)
Klient: Niestety, jest za duży. Czy jest **mniejszy**, może 48?
Ekspedient: Tak, proszę.
(Po chwili)
Klient: Dziękuję. Ten jest dobry. Ile kosztuje?
Ekspedient: 225 złotych.
Klient: O, jest za drogi. Czy są **tańsze** swetry?
Ekspedient: Nie ma.
Klient: To dziękuję, do widzenia.

DVD 14 **13a Proszę najpierw obejrzeć film *W sklepie odzieżowym* i odpowiedzieć na pytania, a następnie przeczytać ten dialog z kolegą / koleżanką.**

a) Jakiego koloru sweter chciałby kupić klient?
b) Który sweter on przymierza – rozmiar 48 czy 50?
c) Czy sweter jest tani?
d) Czy on kupuje ten sweter?

duży, -a, -e większy, -a, -e największy, -a, -e	mały, -a, -e mniejszy, -a, -e najmniejszy, -a, -e	drogi, -a, -e droższy, -a, -e najdroższy, -a, -e	tani, -a, -e tańszy, -a, -e najtańszy, -a, -e

13b Proszę z kolegą / koleżanką ułożyć podobny dialog jak w ćwiczeniu 13a. Następnie proszę zaprezentować ten dialog grupie.

14a Proszę dopasować informacje do symboli:

rozmiar *prać w temperaturze 40°C* *nie chlorować* *prać ręcznie* *prać chemicznie*

14b Proszę odpowiedzieć na pytanie, jak należy prać:

– delikatne bluzki? ....
– dżinsy? ....
– ubrania dla dzieci? ....
– garnitury? ....

15a Proszę ułożyć wyrażenia:

czerwony jak	słońce
jasne jak	burak
czarna	owca
jestem	zielony z gramatyki

15b Proszę uzupełnić zdania odpowiednimi frazami z ćwiczenia 15a.

a) Paweł idzie z dziewczyną na randkę do eleganckiej restauracji. Kelner pyta: A gdzie Pana krawat? Paweł nie ma krawata, jest .... jak ....

b) Jestem .... z gramatyki, a za tydzień mam egzamin. Muszę iść do księgarni po dobrą książkę z ćwiczeniami gramatycznymi.

c) Jakie sklepy są w centrum handlowym? To .... jak słońce: sklep odzieżowy, obuwniczy, itd.

d) Wszyscy moi kuzyni i kuzynki studiują lub pracują. Mają domy, samochody, żony, mężów. Tylko Robert nie ma studiów ani nie pracuje. Ma 45 lat i mieszka z rodzicami – to .... w mojej rodzinie.

Czy już to umiesz?

15c Proszę przeczytać tekst, a następnie zdecydować, jakie to ubranie – spodnie, podkoszulek, krawat czy buty?

Nosi się do pracy, na wycieczkę, dyskotekę i biznesowe spotkanie. Skąd ta moda i fascynacja? – To ubranie uniwersalne, które jest tak samo dobre do marynarki, jak i do dżinsów. Zwykle nosimy białe, ale mogą też być bardziej ekstrawaganckie na wieczorny spacer lub na randkę. Można też nosić dwa, na przykład w kontrastowych kolorach.

W tym sezonie Kenzo proponuje je w kolorze zielonym, razem z szerokimi, kolorowymi spodniami. Yves Saint Laurent zaproponował nową wersję tego ubrania jako seksowną czarną sukienkę mini. Calvin Klein proponuje biały kolor, ale także bardzo seksowną wersję. Jil Sander proponuje czerwień, a Matthew Williamson złoto.

To ubranie to też deklaracja – można nosić na nim zdjęcie idola albo tekst politycznej manifestacji. Pewien Belg ma kolekcję 28 sztuk tego ubrania z różnych krajów z jednym tylko motywem – W.I. Leninem.

Na podstawie: T-Styl, Edipresse (NS), za: http://polki.wp.pl/moda.html

LEKCJA 10

SYTUACJE KOMUNIKACYJNE rozmowa o przeszłości • relacjonowanie
SŁOWNICTWO nazwy miesięcy w miejscowniku • okoliczniki czasu
GRAMATYKA I SKŁADNIA czas przeszły (aspekt niedokonany)
MATERIAŁY AUTENTYCZNE e-mail • notatki w kalendarzu

To już było!

1a Proszę posłuchać rozmów telefonicznych i uzupełnić dialogi słowami z ramek.

CD 69-70

Jacek dzwoni do Ani

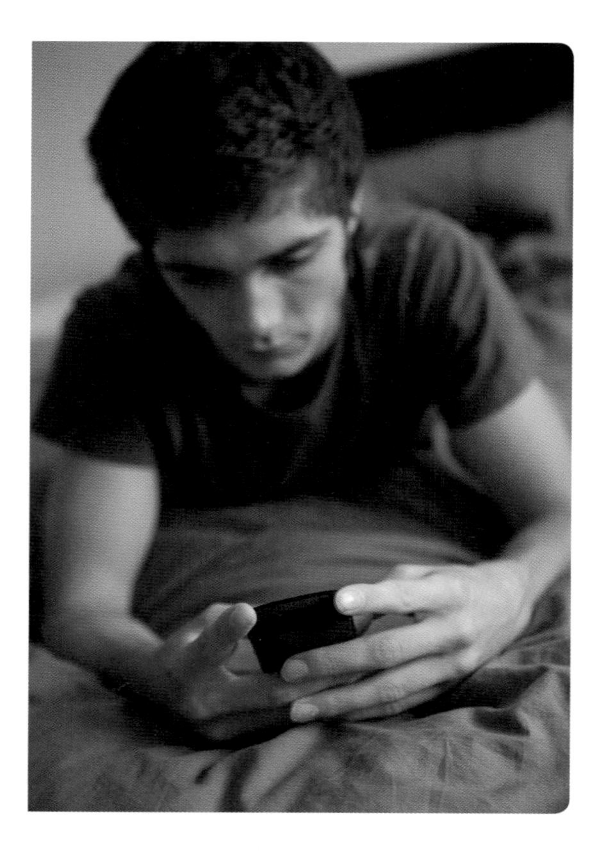

rozmawialiśmy ✓ dzwoniłem miałem chciałaś Szukałaś pracowałam rozmawiałem chodziła widzieliśmy uczyłem się

Ania: Słucham.

Jacek: Cześć Aniu, co słychać?

Ania: Cześć Jacek, cieszę się bardzo, że dzwonisz. U mnie wszystko w porządku, a u ciebie? Dawno nie ...*rozmawialiśmy*...[0].

Jacek: No tak, byłem zajęty, nie ....[1] czasu. Przepraszam, że nie ....[2], ale wiesz, ...[3] do egzaminu.

Ania: Z ekonomii, prawda? Dobrze pamiętam?

Jacek: Tak, dobrze pamiętasz – z ekonomii. A co u ciebie? Masz nową pracę? ....[4] nowej pracy, kiedy ostatnio się ....[5], prawda?

Ania: Tak, szukałam, ale nie miałam szczęścia. Pracuję dalej tam, gdzie ....[6].

Jacek: Naprawdę? Pamiętam, że bardzo ....[7] mieć nową pracę.

Ania: No tak... A wiesz, co u Marty? Masz z nią kontakt?

Jacek: Nie, nie wiem, co u niej słychać. Dawno z nią nie ....[8]. Wiem, że ....[9] na intensywny kurs angielskiego, ale nie mam z nią teraz kontaktu.

Marta dzwoni do taty

dzwoniłaś✓	*byłam*	*była*	*spałem*
Byłam	*jadłem*	*było*	*jadłeś*	*oglądałem*
spacerowałem	*Miałam*	*byłaś*	*planowałaś*

Tata: No cześć Martuniu. Co tam u ciebie słychać? Dawno nie ..*dzwoniłaś*.. .

Marta: Tak, przepraszam tato. Wiesz, że ostatnio ....[10] bardzo zajęta. ....[11] tak dużo pracy.

Tata: Nic nie szkodzi kochanie, ale co słychać u ciebie? Jak ....[12] w Zakopanem?

Marta: Świetnie!

Tata: A jaka ....[13] pogoda?

Marta: Bardzo ładna, tato.

Tata: A z kim ty ....[14] na tej wycieczce? Nie pamiętam, z kim ....[15] jechać? Z Jackiem?

Marta: Nie, nie z Jackiem. Nie mam z nim teraz kontaktu. ....[16] z kolegami z pracy. No ale tatuś, jak ty się czujesz?

Tata: Dobrze, wczoraj długo ....[17] , ...[18] telewizję, trochę ....[19] .

Marta: A co ....[20] na obiad?

Tata: No co ty się mnie pytasz jak dziecka? Jadłem, ...[21] obiad.

Wymowa

1b Proszę zaznaczyć, co Pan robił / Pani robiła wczoraj i przeczytać na głos swoje odpowiedzi.

Wczoraj
- ☐ robiłem / robiłam zadanie domowe.
- ☐ rozmawiałem / rozmawiałam przez telefon.
- ☐ byłem / byłam zajęty/a.
- ☐ byłem / byłam na wycieczce.
- ☐ jadłem / jadłam pyszny obiad.
- ☐ pracowałem / pracowałam.
- ☐ miałem / miałam dużo pracy.
- ☐ oglądałem / oglądałam telewizję / film.
- ☐ słuchałem / słuchałam muzyki.
- ☐ pisałem / pisałam e-maile.
- ☐ uczyłem się / uczyłam się języka polskiego.
- ☐ rozmawiałem / rozmawiałam po polsku.
- ☐ myślałem / myślałam po polsku.

1c Proszę zapytać kolegę / koleżankę o to, co robił / robiła wczoraj. Może Pan / Pani wykorzystać zdania z ćw. 1b. Proszę zanotować odpowiedzi kolegi / koleżanki, a następnie je zaprezentować.

Czy wczoraj robiłeś / robiłaś zadanie domowe?
Czy wczoraj rozmawiałeś / rozmawiałaś przez telefon?
itd.

Wczoraj ..... robił / robiła zadanie domowe, rozmawiał / rozmawiała przez telefon ..... itd.

1d Proszę pracować w grupie. Proszę przeanalizować przykłady w ćwiczeniu 1a, 1b i 1c. Jakie są reguły tworzenia czasu przeszłego dla liczby pojedynczej? Jakie są końcówki? Uwaga! Ważny jest temat bezokolicznika.

• GRAMATYKA

CZAS PRZESZŁY (ASPEKT NIEDOKONANY)

Odmiana regularna

by-ć

rodzaj męski	rodzaj żeński	rodzaj nijaki
by-**łem**	by-**łam**	—
by-**łeś**	by-**łaś**	—
by-**ł**	by-**ła**	by-**ło**

rodzaj męskoosobowy	rodzaj niemęskoosobowy
by-**liśmy**	by-**łyśmy**
by-**liście**	by-**łyście**
by-**li**	by-**ły**

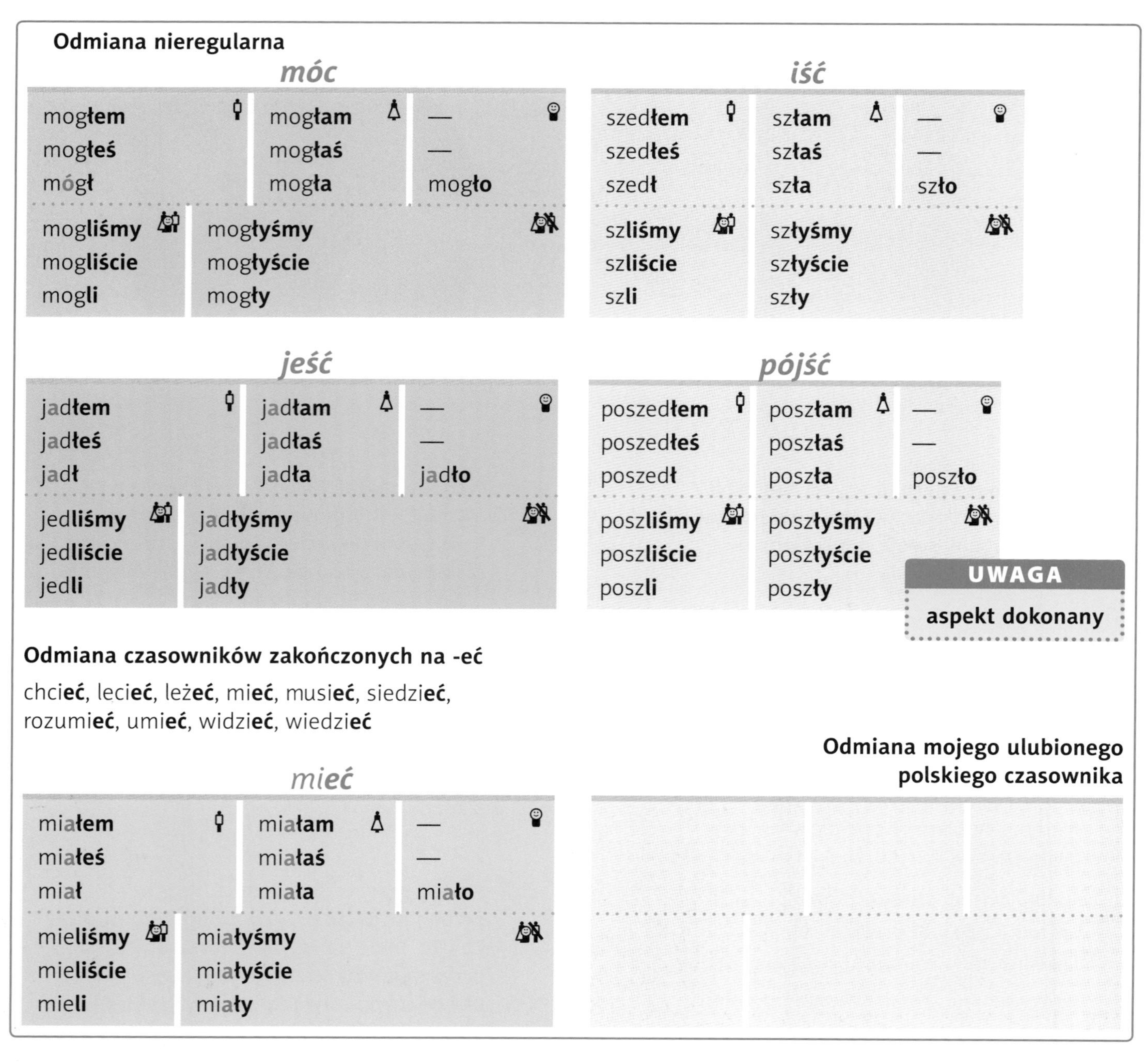

Odmiana nieregularna

móc

mogłem	mogłam	—
mogłeś	mogłaś	—
mógł	mogła	mogło

mogliśmy	mogłyśmy
mogliście	mogłyście
mogli	mogły

iść

szedłem	szłam	—
szedłeś	szłaś	—
szedł	szła	szło

szliśmy	szłyśmy
szliście	szłyście
szli	szły

jeść

jadłem	jadłam	—
jadłeś	jadłaś	—
jadł	jadła	jadło

jedliśmy	jadłyśmy
jedliście	jadłyście
jedli	jadły

pójść

poszedłem	poszłam	—
poszedłeś	poszłaś	—
poszedł	poszła	poszło

poszliśmy	poszłyśmy
poszliście	poszłyście
poszli	poszły

UWAGA
aspekt dokonany

Odmiana czasowników zakończonych na -eć

chci**eć**, leci**eć**, leż**eć**, mi**eć**, musi**eć**, siedzi**eć**, rozumi**eć**, umi**eć**, widzi**eć**, wiedzi**eć**

mieć

miałem	miałam	—
miałeś	miałaś	—
miał	miała	miało

mieliśmy	miałyśmy
mieliście	miałyście
mieli	miały

Odmiana mojego ulubionego polskiego czasownika

2 Co robił Pan / robiła Pani w zeszłym tygodniu? Proszę napisać kilka zdań.

Co robił Pan / robiła Pani:

1. wczoraj wieczorem? *Wczoraj wieczorem* ....
2. dziś rano? ....
3. w poniedziałek wieczorem? ....
4. wczoraj po południu? ....
5. w weekend? ....

3a Proszę napisać przynajmniej 7 zdań o tym, co robili w zeszłym tygodniu Katarzyna i Robert.

Katarzyna

poniedziałek	wtorek	środa	czwartek	piątek	sobota	niedziela
Warszawa - spotkanie	kolacja u Tadeusza	Ważne!! rano - pies pani Krysi	raport roczny ksero	Robert 18.00 koncert	wieczorem kino Magda	rodzice - obiad 14.00

Robert

poniedziałek	wtorek	środa	czwartek	piątek	sobota	niedziela
test - wtorek - powtórzyć	test z francuskiego	e-mail do Marka	bilety na koncert	Kasia 18.00 Jazz club	basen 21.00	urodziny babci

Przykład: W poniedziałek Katarzyna miała ważne spotkanie w Warszawie.

3b Proszę zapytać kolegę / koleżankę, co robił / robiła w zeszłym tygodniu. Proszę zanotować odpowiedzi i je zaprezentować.

poniedziałek	wtorek	środa	czwartek	piątek	sobota	niedziela

4a Proszę posłuchać nagrania i zaznaczyć, gdzie jest akcent.

CD 71

UWAGA!

AKCENT! – czas przeszły (aspekt niedokonany) liczba mnoga

mog-liś-my – ro-bi-liś-my – pi-sa-liś-my – mó-wi-liś-my – roz-ma-wia-liś-my

mog-łyś-my – ro-bi-łyś-my – pi-sa-łyś-my – mó-wi-łyś-my – roz-ma-wia-łyś-my

mog-liś-cie – ro-bi-liś-cie – pi-sa-liś-cie – mó-wi-liś-cie – roz-ma-wia-liś-cie

mog-łyś-cie – ro-bi-łyś-cie – pi-sa-łyś-cie – mó-wi-łyś-cie – roz-ma-wia-łyś-cie

Wymowa

4b Proszę powtórzyć za nauczycielem.

lekcja 10

5a Proszę przeczytać e-mail i podkreślić nowe słowa.

Od: Marta Rudecka
Do: Jacek Kowalski
Data: 12.07
Temat: Co u Ciebie słychać?

Cześć Jacek,

przepraszam, że tak długo nie pisałam, ale byłam bardzo zajęta. W lutym po naszym spotkaniu w Krakowie miałam dużo pracy – musiałam napisać raport roczny. W marcu mój tata był bardzo poważnie chory – leżał w szpitalu prawie dwa miesiące – do maja. Codziennie tam chodziłam. Teraz na szczęście już czuje się dobrze. W kwietniu uczyłam się do egzaminu z angielskiego – pamiętasz, chodziłam na kurs językowy. Egzamin był w czerwcu – dwa tygodnie temu. Poza tym u mnie wszystko w porządku. W zeszłym tygodniu byłam ze znajomymi w Zakopanem. Było fantastycznie. Pogoda była rewelacyjna. Codziennie chodziliśmy po górach, dużo rozmawialiśmy, a wieczorem relaksowaliśmy się i na przykład graliśmy w karty.

A co u Ciebie? Co teraz robisz? Kiedy się ostatnio widzieliśmy, uczyłeś się do egzaminu z ekonomii. Ale nie wiem, kiedy miałeś egzamin. A jak się ma Ania? Jej też dawno nie widziałam – ostatni raz może w listopadzie albo w grudniu. A ty? Widziałeś się z nią ostatnio? Pracuje dalej tam, gdzie pracowała? Pamiętam, że szukała nowej pracy.

Pozdrawiam serdecznie

Marta

5b Proszę przeczytać jeszcze raz e-mail Marty i zdecydować, czy to prawda (P), czy nie (N). Dlaczego?

Przykład: Marta i Jacek spotkali się ostatni raz w Krakowie.
To prawda, bo ona pisze: „po naszym spotkaniu w Krakowie".

1. Marta pisała raport roczny w styczniu. P / N
2. Ojciec Marty był chory w lutym. P / N
3. Ojciec Marty leżał w szpitalu w kwietniu. P / N
4. Marta uczyła się do egzaminu z angielskiego w maju. P / N
5. Egzamin z angielskiego był dwa miesiące temu. P / N
6. Marta była w czerwcu w górach. P / N
7. W Zakopanem Marta i jej znajomi dużo rozmawiali i relaksowali się. P / N
8. Jacek uczył się do egzaminu z ekonomii. P / N
9. Marta i Ania widziały się ostatnio we wrześniu. P / N
10. Ania szukała nowej pracy. P / N

KIEDY?

1. w styczniu
2. w lut**ym**
3. w marcu
4. w kwietniu
5. w maju
6. w czerwcu
7. w lipcu
8. w sierpniu
9. **we** wrześniu
10. w październiku
11. w listopa**dzie**
12. w grudniu

5c Proszę porozmawiać z kolegą / koleżanką o tym, co robił / robiła w zeszłym roku i napisać na ten temat przynajmniej 7 zdań.

Co robiłeś w styczniu? *W styczniu uczyłem się do egzaminu z polskiego.*
Co robiłaś w maju? *W maju chodziłam na kurs włoskiego.*

• GRAMATYKA

5d Proszę poszukać w mailu form czasu przeszłego i opisać je: proszę podać liczbę, rodzaj, osobę i bezokolicznik tych form.

CD 72 **6a Proszę posłuchać rozmowy telefonicznej i zdecydować, czy to prawda (P), czy nieprawda (N).**

Przykład: Magda jest teraz zajęta. P / (N)
1. Tomek miał urlop w kwietniu. P / N
2. 8 osób było w Hiszpanii. P / N
3. W Hiszpanii chodzili pieszo. P / N
4. Śniadania jedli w restauracji. P / N
5. Magda była na kursie niemieckiego w Berlinie. P / N
6. Magda musiała się dużo uczyć. P / N
7. Magda mieszkała w hotelu. P / N

lekcja 10

CD 72 **6b Proszę posłuchać jeszcze raz i odpowiedzieć na pytania.**

Przykład: Kiedy Magda i Tomek ostatnio rozmawiali? ...*W marcu albo w kwietniu.*...
1. Kto był w Hiszpanii? .... z dziewczyną, ... ze studiów i ....
2. Jak długo Tomek był w Hiszpanii? Prawie ....
3. Gdzie Tomek był w czerwcu? ....
4. Co Tomek robił w Hiszpanii? Zwiedzał ...., codziennie ....
5. Kiedy Magda miała urlop? ....
6. Gdzie były lekcje niemieckiego? ....
7. Ile było osób w grupie? ....
8. Od której do której godziny były lekcje? ....
9. Co Magda robiła z kolegami z kursu po południu i wieczorem? .... prywatnie, chodzili do ...., ..., ... w kawiarni.

GRAMATYKA

7a Proszę dokończyć zdania w czasie przeszłym (aspekt niedokonany).

MÓJ ZESZŁY ROK

- W zeszłym roku często ....
- W zeszłym roku codziennie ....
- W zeszłym roku rzadko ....
- W zeszłym roku 3 razy w miesiącu ....
- W zeszłym roku 2 razy w tygodniu ....
- W zeszłym roku od czasu do czasu ....
- W zeszłym roku co miesiąc ....
- W zeszłym roku co tydzień ....

JAK CZĘSTO?

codziennie		**dziennie**
co tydzień	**(1) raz**	**w tygodniu**
co miesiąc	**2, 3 razy**	**w miesiącu**
co rok		**w roku**

7b Proszę porozmawiać z kolegą / koleżanką na temat tego, co robił / robiła w zeszłym roku. Proszę zadać przynajmniej 7 pytań.

Przykładowe pytania:
Jak często w zeszłym roku chodziłeś do kina?
W zeszłym roku chodziłem do kina co miesiąc.
Jak często w zeszłym roku uczyłaś się polskiego?
W zeszłym roku uczyłam się polskiego codziennie.

8 **Proszę odpowiedzieć na pytania w czasie przeszłym (aspekt niedokonany).**

Jak długo (ile minut / godzin, od której do której godziny) wczoraj:

- jadł Pan / jadła Pani obiad?
- spał Pan / spała Pani?
- rozmawiał Pan / rozmawiała Pani przez telefon?
- czytał Pan / czytała Pani gazetę?
- jechał Pan / jechała Pani do pracy / na uniwersytet / do szkoły / do centrum?
- szedł Pan / szła Pani z domu na przystanek tramwajowy / autobusowy / do sklepu?
- pisał Pan / pisała Pani zadanie z polskiego?
- robił Pan / robiła Pani zakupy?
- oglądał Pan / oglądała Pani telewizję?
- słuchał Pan / słuchała Pani muzyki / radia?

JAK DŁUGO?

1 (jedną)	minutę / godzinę
1,5 (półtorej) 2 (dwie), 3, 4 22, 23, 24 X2, X3, X4	minuty / godziny
5 ..... 21 25 ..... 31 X5 ..... X1	minut / godzin

30 minut = pół godziny

od .....-ej do .....-ej

 **9a** **Proszę porozmawiać z kolegą / koleżanką o osobach ze zdjęć. Jak Państwo myślą, co robiły te osoby w przeszłości? Jakie miały hobby? Czym się interesowały? Czego nie lubiły robić? Kim chciały być? Co robiły często, a czego nie robiły nigdy itd.? Dlaczego Państwo tak myślą?**

Myślę, że kiedy ta kobieta miała 15 lat, często ..... , bo ..... .
Myślę, że kiedy ten mężczyzna był młody, chciał być ..... , bo ..... .

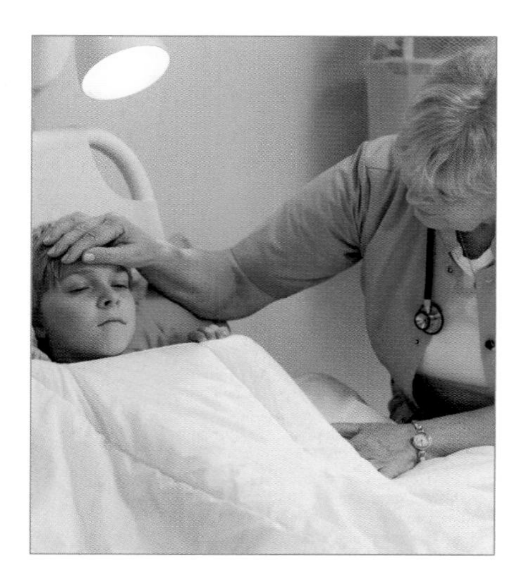

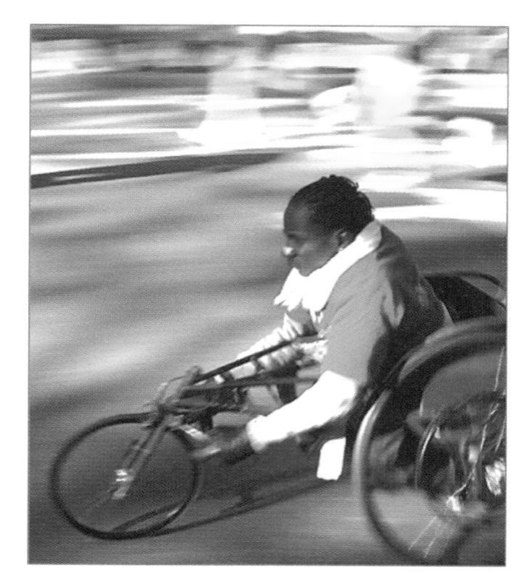

9b **A Pan / Pani? Jaki Pan był / Pani była w przeszłości? Co Pan robił / Pani robiła często? O której godzinie Pan wstawał / Pani wstawała? O której mógł Pan / mogła Pani wieczorem wracać do domu, kiedy miał Pan / miała Pani 16 lat? Co mógł Pan / mogła Pani robić, a czego nie? Czy dostawał Pan / dostawała Pani kieszonkowe? Czy lubił Pan / lubiła Pani chodzić do szkoły? Proszę napisać przynajmniej 12 zdań.**

Kiedy miałem / miałam ..... lat/a, często ..... ,
chciałem być strażakiem / muzykiem / piosenkarzem / chciałam być pisarką / malarką / lekarką,
lubiłem / lubiłam zwierzęta, miałem / miałam psa / kota / chomika.

DVD 15

9c **Proszę obejrzeć film i zanotować, co robiły te osoby w przeszłości.**

10 **Proszę pracować w grupie. Proszę odpowiedzieć na pytania (przynajmniej po 4 odpowiedzi). Co robiły kobiety dawniej, a co robią dzisiaj? Co robili mężczyźni dawniej, a co robią dzisiaj?**

Przykłady:
Dawniej kobiety nie studiowały, a dzisiaj studiują.
Dawniej kobiety nie mogły ..... , a dzisiaj mogą ..... .
Dawniej mężczyźni ..... .

Czy już to umiesz?

I Proszę uzupełnić.

Co za pech! ☹	Co za szczęście! ☺
0. Marek zawsze kupował za duże buty.	*On zawsze kupuje dobre buty.*
1. Codziennie jedliśmy niesmaczną zupę.	....
2. Zawsze spóźnialiśmy się do pracy.	....
3. Oni rzadko spotykali miłych ludzi.	....
4.	Anna krótko czeka na tramwaj.
5.	Tomek ma wolny czas.
6.	Rzadko oglądamy złe filmy.
7.	Mam szczęście!
8. One często budziły się za późno.	....
9. Kelnerka w restauracji była niemiła.	....
10. Pogoda była piękna, a Wanda była chora.	....

II W którym miesiącu?

Mam urodziny w ....
Mój kolega / koleżanka ma urodziny w ....
Lubię spacerować w ....
W domu jestem często w ....
Mam urlop zwykle w .... albo w ....
W moim kraju ładna pogoda jest np. w ...., a brzydka w ....
W moim kraju obchodzimy święto narodowe w ....

SYTUACJE KOMUNIKACYJNE	rozmowa o przyszłości i planach
SŁOWNICTWO	plany • okoliczniki czasu cd. • telefon komórkowy
GRAMATYKA I SKŁADNIA	czas przyszły (aspekt niedokonany) • powtórzenie czasu teraźniejszego i przeszłego (aspekt niedokonany)
MATERIAŁY AUTENTYCZNE	SMS-y • tabela taryf telefonicznych • horoskop roczny

Jakie masz plany?

• GRAMATYKA

1a Anna napisała postanowienia noworoczne. Proszę ułożyć zdania według wzoru.

W PRZYSZŁYM ROKU:

BĘDĘ:

- *będę uprawiać*
- *będę chodzić regularnie na kontrolę*
- *będę czytać*
- *będę interesować się*
- *będę regularnie uczyć się*

NIE BĘDĘ:

- *nie będę jeść*
- *nie będę tak często oglądać*
- *nie będę kupować*
- *nie będę palić tak dużo*
- *nie będę spotykać się*

- *angielskiego*
- *biografie znanych artystów*
- *słodyczy*
- *sport (przynajmniej 2 razy w tygodniu)*
- *papierosów*
- *aktualnościami politycznymi*
- *do dentysty*
- *produktów reklamowanych w tv-shop*
- *z Andrzejem*
- *telewizji*

Wymowa

1b **Proszę przeczytać na głos poprawne odpowiedzi.**

Anna postanowiła, że w przyszłym roku będzie ..... // nie będzie ..... .

1c **Proszę napisać i przeczytać swoje postanowienia noworoczne.**

Postanowiłem / postanowiłam, że w przyszłym roku będę ..... // nie będę ..... .

....

Postanowiłem / postanowiłam, że w styczniu / w lutym / w marcu ..... będę ..... .

....

2 **Proszę dopasować pytanie do odpowiedzi.**

SMS-y PO POLSKU

O której będziesz w domu?	Czekamy.
Gdzie jesteście? Kiedy będziecie u mnie?	O szóstej.
Będziecie dziś u Ewy?	Szkoda! ☹ Na pewno będzie dobra zabawa.
Przepraszam, ale nie będę dziś na imprezie. ☹	Już jedziemy. Będziemy za 5 minut.
Będziemy za pół godziny.	Nie. Magda jest chora, a ja mam dużo pracy.

• GRAMATYKA

3 **Na podstawie ćwiczeń 1 i 2 proszę uzupełnić tabelę.**

CZAS PRZYSZŁY (ASPEKT NIEDOKONANY)

liczba pojedyncza	ja .... ty .... on / ona / ono / pan / pani	**+ bezokolicznik** ~~być~~	Co **będziesz robić** jutro? Jutro **będę uczyć** się polskiego. Kiedy **będziecie** ~~być~~ w Krakowie? **Będziemy** ~~być~~ w Krakowie w przyszłym tygodniu.
liczba mnoga	my .... wy .... oni / one / państwo ....będą....		

lekcja 11

SŁOWNICTWO

4 Co będzie Pan / Pani robić, a czego nie będzie Pan / Pani robić jutro?

pracować sprzątać odpoczywać spać czytać gazetę jeść słodycze tańczyć na imprezie słuchać muzyki jechać tramwajem rozmawiać z kuzynem uczyć się polskiego uczyć angielskiego jeździć na rowerze pić kawę jeździć na nartach palić papierosy szukać żony kłócić się z sąsiadem

Jutro na pewno będę .... , ... i ....
Jutro może będę .... , ... i ....
Jutro nie będę ani .... , ani ....

5a Proszę uzupełnić zdania. Co oni będą robić?

Przykład: Marysia jest uczennicą. Jutro będzie ....*pisać*......... test.
1. Pan Kruszkowski jest taksówkarzem. Jutro będzie .... samochodem.
2. Pani Katarzyna jest sekretarką. Jutro będzie .... przez telefon.
3. Jesteśmy nauczycielami. Jutro będziemy .... studentów.
4. Jesteście studentami? Czy będziecie .... jutro kurs polskiego?
5. Pan Witkowski jest fotografem. On będzie .... zdjęcia.

GRAMATYKA

5b Proszę uzupełnić zdania.

Przykład: W sobotę Wojtek ....*będzie*... spać do południa.
1. Nie mam konkretnych planów na weekend, może .... czytać książkę.
2. Co (ty) .... robić w niedzielę?
3. W czwartek Paweł i Arek .... odpoczywać.
4. W sobotę (my) .... tańczyć na imprezie do rana.
5. (wy) .... oglądać telewizję w niedzielę?

6 Proszę porozmawiać z kolegą / koleżanką o jego / jej planach.

Przykładowe pytania:
Co będziesz robić w weekend?
Co będziesz robić po kursie polskiego?
Co będziesz robić we wrześniu?
Co będziesz robić w przyszłym roku?
Co będziesz robić za dwa lata?

KIEDY?

jutro pojutrze	za	rok miesiąc 2 tygodnie tydzień	w przyszłym	roku miesiącu tygodniu

 **7** **Proszę porozmawiać w grupie na temat tego, co będą robić te dzieci w przyszłości? Kim będą? Jak będą żyć? Czy będą mieć rodzinę? Dlaczego Państwo tak myślą?**

Myślę, że kiedy ten chłopiec / ta dziewczynka będzie dorosły/a, będzie ....., bo ..... .
Myślę, że za 20 lat ona/on będzie ..... , bo ..... .
Myślę, że kiedy ona/on będzie mieć 40 lat, będzie ....., bo ..... .

lekcja 11

8a **Proszę posłuchać nagrania i uzupełnić tekst.**

CD 73

Jest pani młoda i aktywna, dużo pani pracuje. Na pewno ...*będzie*... [0] pani mieć dużo pieniędzy w przyszłości. Co będzie pani robić, kiedy już będzie pani bardzo bogata?

Kiedy będę bardzo bogata, ... [1] mogła robić to, co będę chciała. Będę mogła na przykład .... [2] bardzo drogim i szybkim samochodem i będę mieć .... [3] i elegancki dom. Często będę .... [4] z mężem. Nie będziemy musieli gotować w domu, bo codziennie .... [5] mogli jeść w restauracji. Nie .... [6] musieli pracować. Będziemy mogli robić to, co będziemy chcieli.

Nasze .... [7] będą mogły uczyć się w świetnej szkole, a potem .... [8] studiować na dobrym uniwersytecie. .... [9] będą mieć swoje firmy i będą zarabiać dużo pieniędzy.

 **8b** **Proszę poszukać w tekście form od czasowników *chcieć, móc* i *musieć*. Jak Pan / Pani myśli, jak tworzymy czas przyszły (aspekt niedokonany) od tych czasowników?**

• GRAMATYKA

CZAS PRZYSZŁY (ASPEKT NIEDOKONANY) – *móc, chcieć, musieć*

liczba pojedyncza	ja **będę** ty **będziesz** on / ona / ono, pan / pani **będzie**	+ 3 os. l. poj. czasu przeszłego niedokonanego	**Będę mógł** robić to, co **będę chciał**. **Będę mogła** robić to, co **będę chciała**.
liczba mnoga	my **będziemy** wy **będziecie** oni / one, państwo **będą**	+ 3 os. l. mn. czasu przeszłego niedokonanego	**Będziemy mogli** robić to, co **będziemy chcieli**. **Będziemy mogły** robić to, co **będziemy chciały**.

lekcja 11

8c Proszę uzupełnić zdania.

Przykład: W przyszłym tygodniu Marek nie będzie ....*musiał*.......... (musieć) pracować.

1. Na urlopie Marek nie będzie .... (musieć) wstawać o szóstej rano. Będzie .... (móc) spać tak długo, jak będzie .... (chcieć)
2. W przyszłym miesiącu Anna będzie .... (musieć) dużo się uczyć do egzaminu, nie będzie .... (móc) chodzić do kina tak często, jak będzie .... (chcieć)
3. W przyszłym roku Marek i Anna nie będą .... (musieć) dużo pracować. Będą .... (móc) podróżować, kiedy będą .... (chcieć)
4. Anna i Wanda planują studiować w Anglii za dwa lata. Będą .... (musieć) dużo się uczyć angielskiego i nie będą .... (móc) chodzić tak często na imprezy, jak będą .... (chcieć)

8d Proszę odpowiedzieć na pytania.

Co będzie Pan musiał / Pani musiała często robić w przyszłym roku?

....

....

Czego nie będzie Pan chciał / Pani chciała robić w przyszłym roku?

....

....

8e Proszę pracować w grupie. Proszę dokończyć zdania.

Jeśli będziemy regularnie uczyć się polskiego,

będziemy umieli / umiały ....

....

będziemy mogli / mogły ....

....

nie będziemy musieli / musiały ....

ani ....

CD 74-75

9a **Pan Głowacki i pani Maruszewska chcą kupić telefon komórkowy i pytają o informacje. Proszę posłuchać 2 dialogów i odpowiedzieć na pytania.**

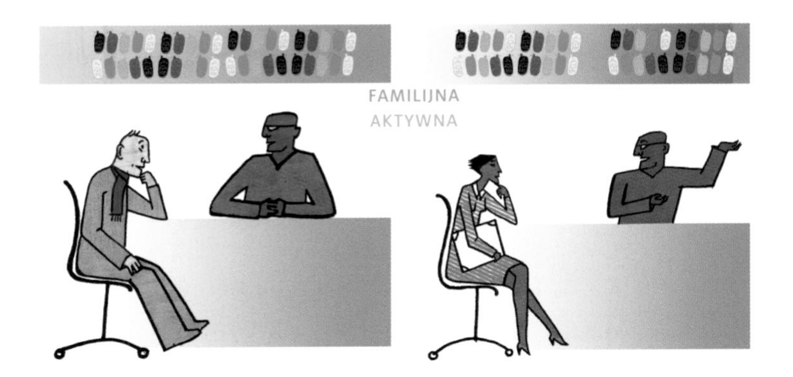

Dialog 1

1. Dla kogo Pan Głowacki chce kupić telefon?
2. Czy będzie to telefon firmowy?
3. Którą taryfę proponuje sprzedawca?
4. O który telefon pyta Pan Głowacki: o nowoczesny czy tradycyjny? Dlaczego?
5. Ile Pan Głowacki będzie musiał płacić za abonament?

Dialog 2

1. Czy Pani Maruszewska chce kupić telefon komórkowy dla mamy?
2. Jakie taryfy proponuje sprzedawca?
3. Czy w taryfie, którą proponuje sprzedawca, wliczone są nielimitowane rozmowy do wszystkich sieci?
4. Który telefon Pani Maruszewska planuje kupić: nowoczesny czy tradycyjny? Dlaczego?
5. Ile Pani Maruszewska będzie musiała płacić za abonament?

9b **Proszę ułożyć dialog w kolejności.**

___ Dzień dobry, w czym mogę pomóc?

___ Tak, mam stary telefon. Nie potrzebuję nowego telefonu. Czy mogę tu kupić kartę z polskim numerem? Ile kosztuje?

___ Czy ma pan telefon?

___ Dzień dobry, będę studiować w Krakowie dwa semestry. Chciałbym mieć polski numer telefonu.

___ Tak, oczywiście. Będzie pan mógł ją doładować.

___ Czy będę mógł potem doładować kartę?

___ Mamy kilka kart, tutaj jest oferta z cennikiem i innymi informacjami. Karta startowa jest na trzy miesiące.

___ To świetnie. Dziękuję bardzo za informacje. Muszę się jeszcze zastanowić.

9c **Planuje Pan / Pani kupić komórkę. Proszę ułożyć dialog z kolegą / koleżanką. Proszę użyć następujących fraz:**

- *Którą taryfę pan / pani mi proponuje?*
- *Ile będę musiał / musiała płacić za abonament?*
- *Ile będę mógł / mogła napisać SMS-ów za darmo?*
- *nielimitowane rozmowy do wszystkich sieci*
- *nielimitowany dostęp do internetu*
- *Muszę się jeszcze zastanowić.*

• GRAMATYKA

10a **Proszę przeczytać horoskop* i poszukać w tekście form czasu przyszłego (aspekt niedokonany).**

HOROSKOP ROCZNY – LEW

ZDROWIE

W przyszłym roku nie będziecie mieć problemów ze zdrowiem i kondycją fizyczną. Tylko w marcu i w kwietniu będziecie musieli uważać na grypę i przeziębienia. Lwy, które mają tendencję do alergii, muszą szczególnie uważać w tym roku w kwietniu i w maju. Uwaga! W grudniu będziecie musieli iść do dentysty. W październiku i w listopadzie będziecie mieć dużo stresujących sytuacji i tendencje do depresji i pesymizmu. Możecie wtedy spotkać się i porozmawiać z przyjaciółmi. Oni wam pomogą.

PRACA

To będzie bardzo pracowity rok, ale też rok pełen sukcesów. Będziecie dużo pracować szczególnie w lutym, w marcu i we wrześniu. Nie próbujcie jednak w przyszłym roku zmieniać zawodu czy studiów. To nie będzie dobry czas na nowe projekty. W lipcu i w sierpniu będziecie musieli uważać na sprawy finansowe! Wtedy będzie wam trochę brakować pieniędzy. Ale w październiku wszystko się unormuje.

Szczególnie dobry rok w sferze zawodowej dla artystów i biznesmenów, którzy będą mogli trochę zaryzykować, gwiazdy będą im bowiem szczególnie sprzyjać.

MIŁOŚĆ

W przyszłym roku będziecie rzadko flirtować i romansować. To nie będzie dobry rok dla Lwów. Szczególnie trudny emocjonalnie będzie luty. Wtedy będziecie analizować wasze problemy emocjonalne i relację z partnerem / partnerką. Będziecie musieli dużo ze sobą rozmawiać. Będzie to jednak dobry rok dla was i waszych przyjaciół. Będziecie mogli na nich liczyć w każdej sytuacji. Będziecie często podróżować w grupie, spotykać nowych i interesujących ludzi.

*Na podstawie: http://rozrywka.onet.pl/horoskopy/17,lista.html

10b **Proszę przeczytać tekst jeszcze raz i zdecydować, która informacja jest prawdziwa.**

Przykład: W przyszłym roku osoby spod znaku Lwa rzadko / często będą chorować.

1. W marcu / w maju osoby spod znaku Lwa będą musiały uważać na grypę.
2. Dużo stresu osoby spod znaku Lwa będą mieć we wrześniu / w październiku.
3. W przyszłym roku osoby spod znaku Lwa będą dużo / mało pracować.
4. Szczególnie trudny emocjonalnie będzie dla Lwów styczeń / luty.
5. Lwy będą często spotykać ciekawych / niemiłych ludzi.

10c **Proszę odpowiedzieć na pytania.**

Przykład: Z czym Lwy nie będą mieć problemów w przyszłym roku?
Lwy nie będą mieć problemów ze zdrowiem i z kondycją fizyczną.

1. W jakich miesiącach będą musiały uważać osoby z tendencją do alergii?
2. Kiedy osoby spod znaku Lwa będą musiały iść do dentysty?
3. W jakich miesiącach osoby spod znaku Lwa będą musiały uważać na pieniądze?
4. Dla przedstawicieli jakich zawodów będzie to dobry rok?
5. Kiedy Lwy będą analizować relację z partnerem / partnerką?

DVD 16 **I** **Proszę obejrzeć film i zanotować, jakie plany mają te osoby.**

II **Proszę pracować w grupie. Proszę wybrać trzy kategorie i napisać, jaki był świat w przeszłości, jaki jest świat teraz i jaki będzie świat w przyszłości?**

Przykłady:

Ludzie: W przeszłości kobiety nie mogły być politykami. Teraz kobiety mogą być politykami. W przyszłości kobiety też będą mogły być politykami.

Transport: Dawniej ludzie często chodzili pieszo. Dzisiaj ludzie często jeżdżą samochodami. Może w przyszłości ludzie często będą latać rakietami.

Kategorie: ludzie (kobiety, mężczyźni, dzieci), transport, jedzenie, kultura, komunikacja, technika, języki obce, moda, polityka, edukacja.

Jaki był świat w przeszłości?
W przeszłości .....
Dawniej .....
100 / 200 lat temu .....

Jaki jest świat teraz?
Teraz .....
Dzisiaj .....
Obecnie .....

Jaki będzie świat w przyszłości?
W przyszłości .....
Wkrótce .....
Za 100 / 200 lat .....

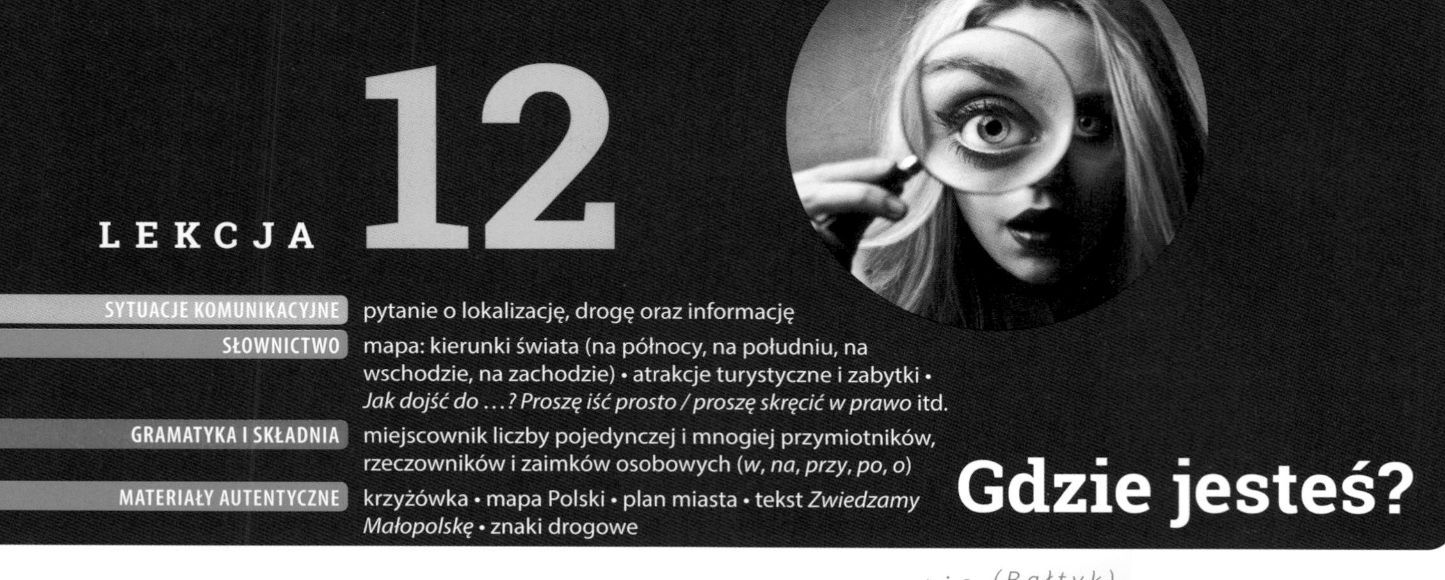

LEKCJA **12**

Gdzie jesteś?

SYTUACJE KOMUNIKACYJNE pytanie o lokalizację, drogę oraz informację

SŁOWNICTWO mapa: kierunki świata (na północy, na południu, na wschodzie, na zachodzie) • atrakcje turystyczne i zabytki • *Jak dojść do ...? Proszę iść prosto / proszę skręcić w prawo* itd.

GRAMATYKA I SKŁADNIA miejscownik liczby pojedynczej i mnogiej przymiotników, rzeczowników i zaimków osobowych (*w, na, przy, po, o*)

MATERIAŁY AUTENTYCZNE krzyżówka • mapa Polski • plan miasta • tekst *Zwiedzamy Małopolskę* • znaki drogowe

SŁOWNICTWO

1a Proszę odpowiedzieć na pytania.

a) Był Pan / była Pani już w Polsce? Gdzie?

b) Co Pan / Pani wie o Polsce? Czy umie Pan / Pani podać nazwy 3 rzek w Polsce? Czy wie Pan / Pani, ile jest w Polsce województw i umie podać nazwy kilku z nich?

1b Proszę z kolegą / koleżanką rozwiązać krzyżówkę.

Poziomo:

1) Jak się nazywają najwyższe góry w Polsce?
2) Jak się nazywa najdłuższa rzeka Polski?
3) Jak się nazywa polskie morze?
4) Jak się nazywa region jezior w północno-wschodniej Polsce?

Pionowo:

5) Jak się nazywa stolica Polski?
6) Bieszczady to: góry / miasto?

EUROPA I ŚWIAT

1c Proszę odpowiedzieć na pytania.

Przykład: ***Gdzie leży Francja?*** Francja leży na zachodzie Europy.
Gdzie leży ..... ? Wrocław / Gdańsk / Kraków / Lublin .....?
Gdzie leżą ..... ? Mazury / Tatry / Bieszczady / Kielce .....?
Gdzie leży ..... ? Francja / Grecja / Wielka Brytania / Rosja .....?
Gdzie leżą ..... ? Niemcy / Włochy / Czechy / Węgry / Chiny .....?

1d Proszę zapytać kolegę / koleżankę: gdzie leży twój kraj lub region, twoje miasto?

Wyspa Relaksandia zaprasza!

 **2a Proszę z kolegą / koleżanką zdecydować, gdzie na wyspie można:**

oglądać spektakl, chodzić po górach, ...

Przykład: Spektakl można oglądać na południu wyspy, w Utopii.

2b Proszę porozmawiać z kolegą / koleżanką z grupy: macie 1 mln euro. Chcecie wybudować obiekt turystyczny na wyspie Relaksandia. Gdzie (np. na północy, na południu), co (hotel, kemping, B&B) i dlaczego wybudujecie?

CD 76-78 **2c Proszę posłuchać nagrania, a następnie zaznaczyć na mapie Relaksandii CO i GDZIE robi na wyspie:**

a) student: ....

b) ornitolog: ....

c) rodzina z dziećmi: ....

3a Proszę przeczytać tekst *Zwiedzamy Małopolskę*, a następnie odpowiedzieć na pytania.

Przykład: Gdzie leży Małopolska? *Małopolska leży w południowej Polsce.*

a) Jak nazywa się stolica Małopolski? ....

b) Co można zwiedzić w Krakowie? ....

c) Co jest w Wieliczce? ....

d) Gdzie znajduje się Ojcowski Park Narodowy? ....

e) Jak daleko od Krakowa znajdują się góry? ....

ZWIEDZAMY MAŁOPOLSKĘ

Małopolska leży w południowej Polsce. Ten region jest dużą atrakcją turystyczną. Są tu klasztory, pałace oraz ruiny zamków.

Kraków jest jednym z najstarszych miast w Polsce. Jest tu wiele interesujących zabytków, wpisanych na listę UNESCO, na przykład Wawel – zamek królów polskich, a także kościół Mariacki z ołtarzem Wita Stwosza. Na krakowskim Rynku można napić się kawy w jednej z wielu kawiarni i posłuchać hejnału granego co godzinę z wieży kościoła Mariackiego. Warto zwiedzić także Kazimierz – starą dzielnicę żydowską.

Na południowy wschód od Krakowa, w Wieliczce, jest znany obiekt turystyczny – zabytkowa kopalnia soli. Na północ od Krakowa, w Ojcowie, znajduje się piękny park narodowy, a sto kilometrów na południe leżą Tatry – najwyższe góry w Polsce.

3b Proszę wypisać wyrażenia przyimkowe i spójniki z tekstu *Zwiedzamy Małopolskę*. Czy rozumie Pan / Pani znaczenie wszystkich?

Przykład: *w południowej Polsce,* ....

....

....

3c Proszę w punktach przygotować informacje na temat Pana / Pani kraju, miasta lub regionu, a następnie opowiedzieć o nim na forum grupy.

Pytania pomocnicze:

– Czy leży nad morzem lub oceanem?

– Czy są tam góry, jeziora, rzeki?

– Jak nazywa się stolica?

– Jak nazywa się najdłuższa rzeka?

– Co można zwiedzić w tym kraju lub regionie?

MIASTO

4a **Jakie słowa oznaczające obiekty i instytucje w mieście Państwo znają? Proszę z kolegą / koleżanką wpisać je do tabeli.**

Zabytki	Instytucje kulturalne	Sklepy	Transport
Przykład: *pomnik*	*filharmonia*	*kiosk*	*dworzec autobusowy (PKS) i kolejowy (PKP)*

PRZEPRASZAM, JAK DOJŚĆ DO ....?

4b **Proszę posłuchać dialogu, a następnie z kolegą / koleżanką przygotować podobny dialog.**

Proszę skręcić w lewo

Proszę iść prosto

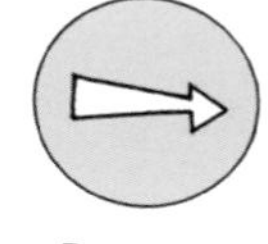
Proszę skręcić w prawo

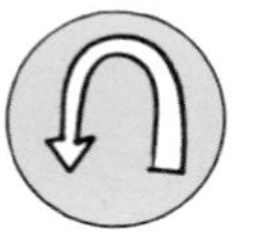
Proszę zawrócić

Proszę przejść przez ulicę

– Przepraszam, **gdzie jest** Rynek?
– Proszę?
– **Jak dojść do** Rynku?
– Przepraszam, nie rozumiem. Pan nie zna polskiego?
– Tylko trochę. Jestem turystą. Jestem Anglikiem.
– Ach, rozumiem. Pan jest turystą z Anglii.
– Tak, tak. I muszę jechać albo iść do Rynku. Rynek, rozumie pan?
– Tak, pan chce iść do Rynku.
– Tak!
– **Proszę iść prosto**, potem **skręcić w lewo**, potem w pierwszą ulicę **w prawo**.
– Przepraszam, proszę powtórzyć.
– Proszę iść prosto, potem skręcić w lewo, potem w pierwszą ulicę w prawo.
– Nie rozumiem.
– Nic nie szkodzi. Ja idę na Rynek. Mogę iść z panem.

Muzeum jest **po lewej stronie (na lewo)**.

Hotel jest **po prawej stronie (na prawo)**.

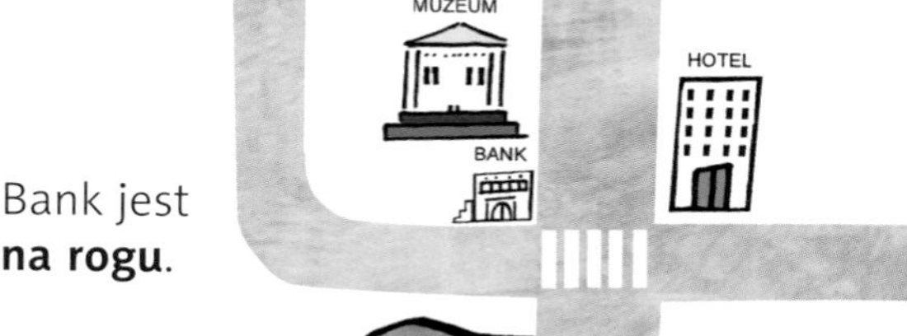

Bank jest **na rogu**.

4c **Co to jest? Proszę podpisać symbole: przystanek, skrzyżowanie, postój taksówek, toalety, parking, trasa rowerowa, most.**

a) ....

b) ....

c) ....

d) ....

e) ....

f) ....

g) ....

4d **Proszę obejrzeć cztery filmy lub wysłuchać czterech nagrań, a następnie uzupełnić brakujące słowa.**

CD 80-83 DVD 17-20

a) – Przepraszam, jak ...*dojść*.... do teatru „Bagatela"?
– Proszę iść .... ulicą Podwale, przejść przez ulicę i skręcić w .... Po lewej stronie jest teatr.
– Dziękuję.
– Nie ma za co.

b) – Przepraszam, jak dojechać do .... PKP?
– Autobusem numer 130 lub 115, tramwajem nr 4, 8, ... Musi pan wysiąść na trzecim przystanku.
– Dziękuję.
– Proszę.

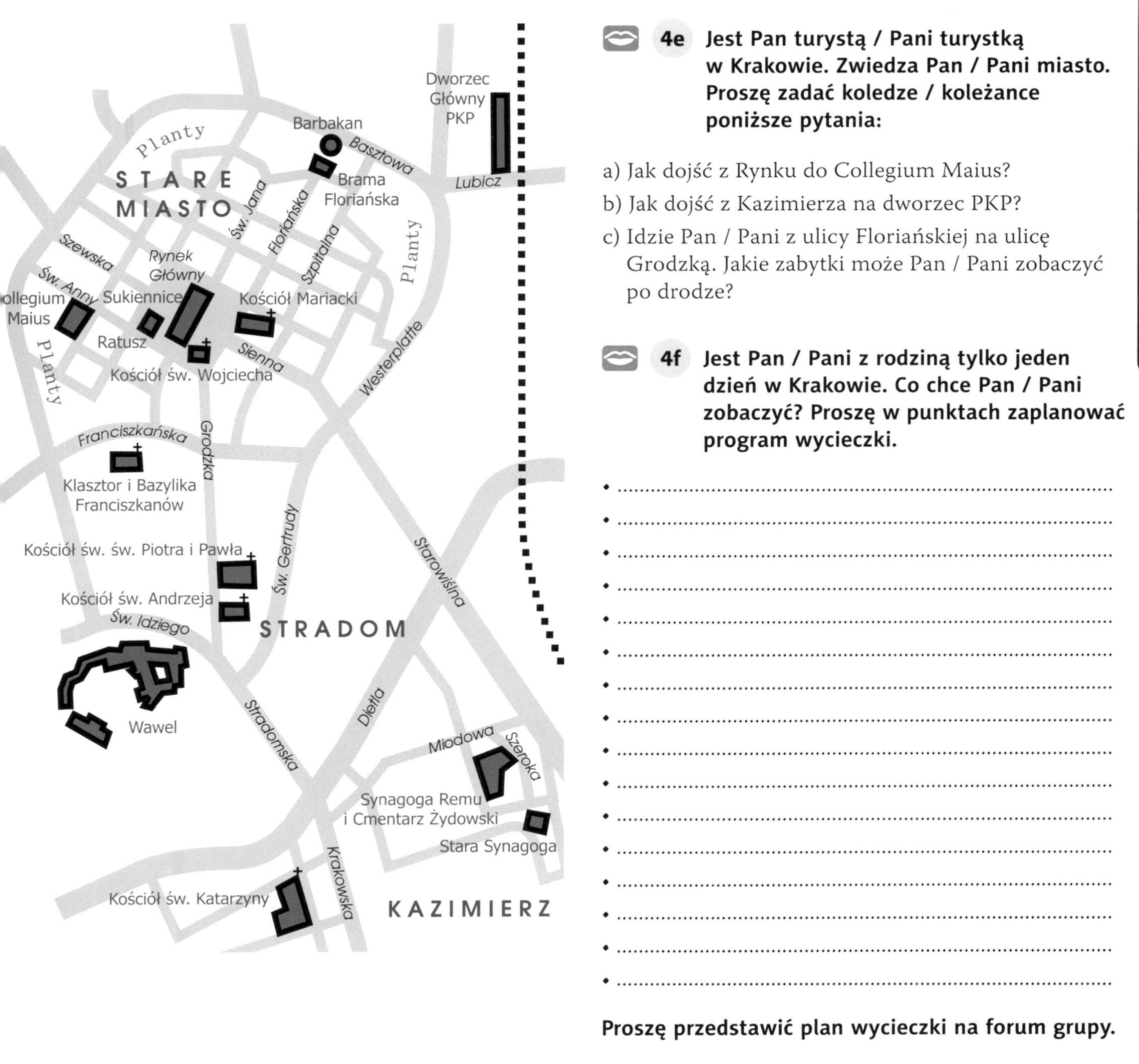

4e **Jest Pan turystą / Pani turystką w Krakowie. Zwiedza Pan / Pani miasto. Proszę zadać koledze / koleżance poniższe pytania:**

a) Jak dojść z Rynku do Collegium Maius?
b) Jak dojść z Kazimierza na dworzec PKP?
c) Idzie Pan / Pani z ulicy Floriańskiej na ulicę Grodzką. Jakie zabytki może Pan / Pani zobaczyć po drodze?

4f **Jest Pan / Pani z rodziną tylko jeden dzień w Krakowie. Co chce Pan / Pani zobaczyć? Proszę w punktach zaplanować program wycieczki.**

- ....
- ....
- ....
- ....
- ....
- ....
- ....
- ....
- ....
- ....
- ....
- ....
- ....
- ....
- ....
- ....

Proszę przedstawić plan wycieczki na forum grupy.

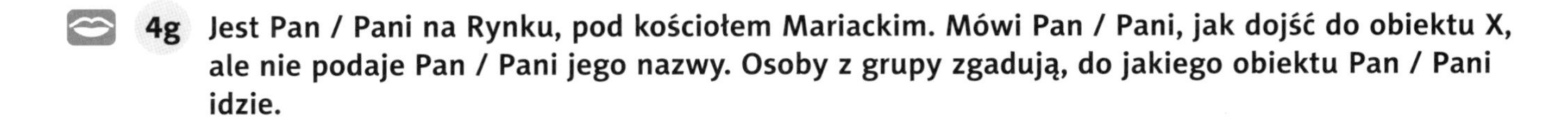

4g **Jest Pan / Pani na Rynku, pod kościołem Mariackim. Mówi Pan / Pani, jak dojść do obiektu X, ale nie podaje Pan / Pani jego nazwy. Osoby z grupy zgadują, do jakiego obiektu Pan / Pani idzie.**

c) – Przepraszam, gdzie jest .... Wawel?
– Na .... ulicy Grodzkiej i Stradom.
– A jak tam dojechać?
– To niedaleko, proszę iść do końca tej ulicy i potem .... w prawo.
– Dziękuję.

d) – Przepraszam, gdzie jest .... Mariacki?
– Nie wiem. Nie jestem stąd.
– O, przepraszam.

Wymowa

5a Gdzie rozmawiają te osoby? Proszę przeczytać na głos dialogi, a następnie dopasować je do nazw miejsc.

☐ **1** w kasie muzeum
☐ **2** w kiosku
☐ **3** w punkcie sprzedaży biletów MPK
☐ **4** w punkcie informacji turystycznej

a) – Proszę jeden bilet.
– Normalny czy ulgowy?
– Ulgowy.
– 2,40 zł.
– Proszę.

b) – Proszę bilet tygodniowy.
– Od kiedy?
– Od dzisiaj.
– 48 zł.

c) – Proszę dwa bilety ulgowe na wystawę impresjonistów.
– Na dzisiaj już nie ma biletów. Są na piątek i sobotę.
– Proszę zarezerwować dwa bilety na piątek.
– Na jakie nazwisko?
– Nowicki.
– Proszę bardzo. Bilety może pan odebrać w kasie.
– Dziękuję. Do widzenia.
– Do widzenia.

d) – Przepraszam, chciałbym iść do muzeum, ale nie wiem, w którym są jakieś interesujące wystawy.
– W Muzeum Narodowym jest ekspozycja „Impresjonizm francuski". Proszę, tu jest nowy informator kulturalny z informacjami o kinach, muzeach, teatrze.
– Czy mogę prosić o mapę Krakowa?
– Jest w informatorze.
– Dziękuję bardzo.

5b Proszę z kolegą / koleżanką przygotować dialog podobny do jednego z dialogów w ćwiczeniu 5a, a następnie zaprezentować go na forum grupy.

5c Proszę w grupie zaprojektować nowe miasto. Proszę zaprezentować to miasto innym grupom.

– Jakie obiekty muszą być w mieście? Sklepy, kawiarnia, park, dworzec?
– Na jakiej ulicy Państwo mieszkają w tym mieście?
– Jak nazywa się to miasto?

6a Co robimy w tych miejscach? Proszę poprawić poniższe zdania, jeśli są nielogiczne.

Przykład: W kawiarni piję kawę, kupuję ~~chleb~~. *ciastko.*

a) W ambasadzie dyskutuję z nauczycielem.
b) W sklepie spożywczym jem dżem.
c) W galerii śpię.
d) W internecie pływam.
e) W parku siedzę, spaceruję.
f) W górach bardzo głośno słucham muzyki.
g) W szkole jestem uczniem i uczę.
h) W hotelu zamawiam budzenie na 7.00.
i) W biurze rozmawiam prywatnie przez telefon.
j) Na krześle leżę.
k) Na dworcu pytam o informację, kupuję bilet.
l) Na Rynku grilluję i piję piwo.
m) Na parkingu remontuję samochód.

GRAMATYKA

6b Proszę napisać, jakie są podstawowe formy słów podkreślonych w ćwiczeniu 6a.

Miejscownik	Mianownik
w ambasadzie	*ambasada*

w

na

przy

po

po

o

MIEJSCOWNIK: O kim? O czym? (w, na, przy, po, o) liczba pojedyncza

	rodzaj męski i nijaki		rodzaj żeński
Przykłady:	• Pan Kowalski mieszka w now**ym** dom**u**, w duż**ym** mieszkani**u**, na trzec**im** piętrz**e**. • Po prac**y** biegam po les**ie** lub spaceruję z psem po park**u**. • Byliśmy na kaw**ie** na rynk**u**, w t**ej** kawiarn**i** przy kości**ele** Mariack**im**. • Często myślę o swo**jej** rodzin**ie**, rzadko rozmawiam o spor**cie** i polity**ce**. • Parking jest na ulic**y** Dług**iej**, przy szpital**u** uniwersyteck**im**.		
przymiotnik JAKIM? JAKIEJ?	**-ym** (k, g) **-im**	nowym polsk**im**, dług**im**	**-ej** (k, g) **-iej** nowej polsk**iej** dług**iej**
rzeczownik O KIM? O CZYM?	w sklep**ie**, w klub**ie**, w Rzym**ie**, w Londyn**ie**, w kin**ie**, w sejf**ie**, w Krakow**ie**, na piw**ie**, w męs**ie**, w sos**ie**, na Kaukaz**ie**	**-ie** p, b, m, n, f, w, s, z	w grup**ie**, na Kub**ie**, o mam**ie**, w Lizbon**ie**, w szaf**ie**, w Warszaw**ie**, w klas**ie**, w oaz**ie**
	na uniwersyte**cie**, w mie**ście**, na snowboar**dzie**, o gwie**ździe**, na sto**le**, na krze**śle**, na rowe**rze**	*** -e** t > **cie**, st > **ście** d > **dzie**, zd > **ździe** ł > **le**, sł>**śle** r > **rze**	na pły**cie**, na Antarkty**dzie**, w szko**le**, na gita**rze**
	-u w kiosk**u**, w jabłk**u**, na rog**u**, na dach**u**	k, g, ch/h	*** -e** k > **ce** w Pol**sce** g > **dze** w Pra**dze** ch > **sze** o mu**sze**
	-u w słońc**u**, na mecz**u**, w Grudziądz**u**, w deszcz**u**, w garaż**u**	c, cz, dz, dż, sz, rz/ż	**-y** w prac**y**, o rzecz**y**
	-u o Jasi**u**, na koni**u**, w fotel**u**, w maj**u**	ć/c, dź/dzi, ś/sz, ź/zi, ń/ni, l, j, i	**-i** o cioc**i** Jadz**i**, na ws**i**, o Zuz**i**, w kuchn**i**, w sal**i**, w restauracj**i**
	-um (r. nijaki) = MIANOWNIK w muze**um**		
	ale: w domu, o panu, o synu, w Zakopanem		

UWAGA!

ó > o/e: stół – na stole, kościół – w kościele; a > e: miasto – w mieście, obiad – na obiedzie, las – w lesie

liczba mnoga

	rodzaj męski, żeński i nijaki	
Przykłady:	• Na wakacjach byliśmy w polsk**ich** gór**ach**. • Ubrania kupuję w lokaln**ych** sklep**ach**. • Przy szkoł**ach** są tereny sportowe. • Planujemy podróż po Czech**ach** – z północy na południe. • Marzę o wakacj**ach** na Malediw**ach**.	
przymiotnik O JAKICH?	**-ych** (k, g) **-ich**	now**ych** polsk**ich**, dług**ich**
rzeczownik O KIM? O CZYM?	**-ach**	sklep**ach**, szkoł**ach**, kin**ach**
	ale: (Niemcy) w Niemczech, (Włochy) we Włoszech, (Węgry) na Węgrzech	

lekcja 12

To sympatyczny Polak.

On jest sympatycznym Polakiem.

On ma sympatyczną rodzinę: ojca, matkę, żonę, dziecko i psa.

Lubi chodzić do restauracji, ale nie lubi pić kawy.

Zwykle kupuje dużo warzyw, owoców i soków.

Pan Kowalski

Mieszka **w Polsce**, pracuje **w biurze. Po pracy** czasem idzie na obiad do restauracji i siada **przy stoliku przy oknie**. Teraz myśli **o urlopie**.

lekcja 12

7a O czym mówi się teraz w Pana / Pani kraju? A jakie są tematy tabu – o czym się nie mówi?

W .... mówi się o ....
o ....
o ....
W .... nie mówi się o ....
o ....
o ....

7b Proszę zdecydować, która forma jest poprawna.

Przykład: Marek był w
a) sklepu b) sklepie c) sklepem.

1. Andrzej studiuje w
a) małym miastem b) małym mieście c) małe miasto.
2. Zakopane leży na
a) południu Polski b) południe Polski c) południa Polski.
3. Mieszkamy na
a) ulica Wrocławska b) ulicy Wrocławskiej
c) ulicą Wrocławską.
4. Studenci spotkali się na
a) uniwersytet b) uniwersytetu c) uniwersytecie.
5. Ewa mieszka w
a) Praga b) Pragi c) Pradze.
6. Ruth pracuje w
a) Brukseli b) Brukselę c) Brukselą.
7. Dawno nie byliśmy w
a) teatru b) teatr c) teatrze.
8. Nigdy nie mówił źle o
a) szefem b) szefa c) szefie.
9. Lublin jest na
a) wschodzie Polski b) wschodu Polski c) wschód Polski.
10. Słubice są na
a) zachód Polski b) zachodu Polski c) zachodzie Polski.

7c Proszę zapytać kolegę / koleżankę według wzoru:

Przykład: Gdzie się uczysz?
W szkole albo na uniwersytecie .
– Gdzie zwykle odpoczywasz?
.... albo ....
– O czym często rozmawiasz?
.... albo ....
– O czym nie lubisz rozmawiać?
.... albo ....
– Gdzie dokładnie mieszkasz?
.... albo ....
– Gdzie planujesz spędzić wakacje?
.... albo ....
– Gdzie kupujesz książki?
.... albo ....
– O kim często myślisz?
.... albo ....
– Na czym umiesz grać?
.... albo ....
– Gdzie pracujesz / studiujesz?
.... albo ....
– O czym marzysz?
.... albo ....

Proszę przedstawić odpowiedzi kolegi / koleżanki na forum grupy.

Ona myśli o...
Ona marzy o...

ZAIMKI OSOBOWE – MIEJSCOWNIK

liczba pojedyncza		liczba mnoga	
ja	**o mnie**	my	**o nas**
ty	**o tobie**	wy	**o was**
on, ono	**o nim**	oni, one	**o nich**
ona	**o niej**		

Wymowa

8a Proszę poprawić zdania. Proszę na głos i z odpowiednią intonacją przeczytać poprawione zdania.

Przykład: Basia zwykle siedzi przy ~~ja~~ mnie na wykładzie, ale nie dziś. Nie wiem, dlaczego.

a) Ciągle myślę i marzę o ~~ona~~.
b) Dziennikarze dużo piszą o kandydacie na prezydenta, a dokładnie o ~~on~~ i jego skandalach.
c) Idę na egzamin po ~~wy~~. Boję się iść pierwszy.
d) Przepraszam, ale tu jest dziecko! Proszę nie palić przy ~~ono~~. To zresztą przedział dla niepalących!
e) Wiesz, Paweł mi mówił, że on myśli o ~~ty~~!
f) Tu jest miejsce dla inwalidy. Dlaczego pan na ~~ono~~ siedzi?
g) Chciałbym mieć w końcu urlop. Marzę o ~~on~~.

8b Proszę z kolegą / koleżanką przeczytać tekst *Rozmowa telefoniczna*. Proszę podkreślić formy zaimków. Jakie są podstawowe formy tych zaimków?

On: Myślę o tobie.
Ona: O mnie?
On: Tak. O nas myślę.
Ona: A o niej nie myślisz?
On: O kim?
Ona: Ty wiesz o kim.
On: Oczywiście, że nie. A ty o nim?
Ona: Nie, nie myślę o nim.
On: To dobrze. Nie myślmy o nich. To już historia.

8c O czym się plotkuje? Proszę z kolegą / koleżanką ułożyć dialog *Plotki przy kawie*. Proszę użyć form zaimków osobowych w miejscowniku. Proszę przedstawić swój dialog na forum grupy.

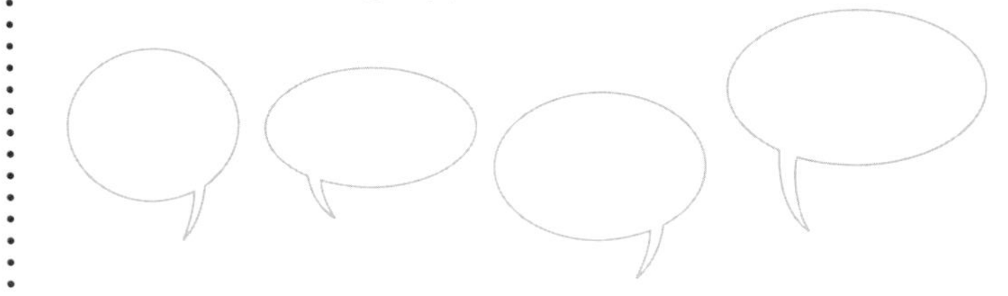

Czy już to umiesz?

I Gdzie na mapie znajdują się te obiekty? Proszę je podpisać.

dworzec PKP i PKS poczta postój taksówek przystanek skrzyżowanie most pomnik zamek kościół rynek

II Jest Pan / Pani w punkcie X. Proszę napisać, jak dojść:

– do przystanku: Proszę iść prosto, potem skręcić w prawo i przejść przez skrzyżowanie. Przystanek jest na lewo.
– do dworca / na dworzec: ....
– do rynku: ....
– na pocztę: ....
– do kościoła: ....

LEKCJA 13

SYTUACJE KOMUNIKACYJNE: dialogi w podróży • telefoniczna rezerwacja pokoju • pisanie pozdrowień
SŁOWNICTWO: podróż i urlop • rezerwacja pokoju • pozdrowienia
GRAMATYKA I SKŁADNIA: przyimki łączące się z różnymi przypadkami
MATERIAŁY AUTENTYCZNE: oferty turystyczne • pocztówki • internetowa rezerwacja pokoju

Jadę na urlop!

SŁOWNICTWO

URLOP / WAKACJE

1a Proszę dopasować poniższe pytania zgodnie z podanym przykładem.

na jak długo? dokąd?✓ z kim? czym? jak? kiedy? co bierzemy ze sobą? gdzie jemy? gdzie nocujemy? jaka jest pogoda? co robimy?

PODRÓŻUJĘ

dokąd?
za granicę
do Polski
do Hiszpanii
do Krakowa
w góry
nad morze

samochodem
pociągiem
samolotem
autostopem
pieszo

ze znajomymi
z rodziną
z przyjacielem
z przyjaciółką
sam / sama

na weekend
na kilka dni
na tydzień
na miesiąc

w lipcu
zimą
latem
w przyszłym miesiącu
za dwa tygodnie

odpoczywamy
opalamy się
spacerujemy
jeździmy na nartach
jeździmy na rowerze
pływamy
czytamy książki

ładna
brzydka
świeci słońce
pada deszcz

w barze
w restauracji
u rodziny
gotuję sam / sama

w hotelu
w pensjonacie
pod namiotem
u rodziny
u znajomych

pieniądze
kartę kredytową
okulary przeciwsłoneczne
paszport
śpiwór

1b Proszę pracować w grupie. Jakie są Państwa propozycje innych kategorii i innych przykładów?

2a Proszę wybrać kilka z poniższych pytań i porozmawiać z kolegą / koleżanką na temat urlopu.

PODRÓŻ / URLOP / WAKACJE

1. Czy lubisz podróżować? Dlaczego?
2. Gdzie chętnie spędzasz urlop?
3. Lubisz jeździć za granicę?
4. Z kim lubisz być na urlopie? Lubisz spędzać urlop ze znajomymi, z rodziną? A może jeździsz na urlop sam / sama?
5. Dokąd nie lubisz jeździć?
6. Czym wolisz podróżować – samochodem, pociągiem czy samolotem? A może autostopem? Dlaczego?
7. Czy wolisz urlop w mieście, czy na wsi?
8. Wolisz urlop zimą czy latem? Dokąd jeździsz zimą, a dokąd latem?
9. Co zwykle robisz, a czego nigdy nie robisz na urlopie?
10. Co bierzesz ze sobą na urlop?
11. Wolisz urlop w górach czy nad morzem? Dlaczego?
12. Gdzie i kiedy planujesz spędzić następny urlop?
13. Gdzie nocujesz podczas podróży?
14. Byłeś / byłaś już w Polsce? Ile razy? Jakie polskie miasta znasz? Do jakich miast chcesz pojechać?
15. Czy pamiętasz swój najlepszy / najgorszy urlop?

2b **Proszę przeczytać ankietę z portalu internetowego i powiedzieć, dokąd Polacy lubią jeździć na urlop? Gdzie ludzie z Pana / Pani kraju chętnie spędzają wakacje?**

GDZIE POLACY SPĘDZAJĄ URLOP?

ankieta portalu www.polacyipodroze.com

- **25%** w górach (w Tatrach, Bieszczadach i Karkonoszach)
- **18%** w Hiszpanii
- **15%** nad polskim morzem
- **13%** w Chorwacji
- **10%** w domu z rodziną
- **9%** nad jeziorem (na Mazurach)
- **5%** w Grecji
- **3%** na wsi
- **2%** inne

3a **Proszę przeczytać internetowe oferty wakacyjne i zdecydować z kolegą / koleżanką, która oferta będzie atrakcyjna dla poszczególnych osób. Dlaczego tak Państwo myślą?**

Jak myślisz, która oferta jest atrakcyjna dla tej kobiety / tego mężczyzny / tej rodziny / tej pary?
Myślę, że oferta pierwsza albo druga, bo...
Tak, zgadzam się z tobą. / A ja myślę, że nie, bo.....

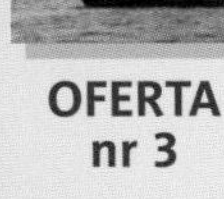

OFERTA nr 1

Wakacje z językiem polskim. Intensywny kurs wakacyjny w Krakowie
niepowtarzalna atmosfera miasta :: codziennie 5 godzin nauki :: warsztaty fonetyczne :: konsultacje gramatyczne :: biblioteka językowa :: zakwaterowanie u polskiej rodziny
Szkoła Języków Obcych PREFIX www.prefix.edu.pl

OFERTA nr 2

A MOŻE NAD MORZE? Oferujemy: Urlop nad Bałtykiem – Ustka, Łeba, Sopot, Międzyzdroje, Dźwirzyno
Zakwaterowanie: hotel, pensjonat, kwatera prywatna, pole namiotowe, możliwość wykupienia wyżywienia, kursy windsurfingu i inne atrakcje
www.urlopnadbaltykiem.prv.pl

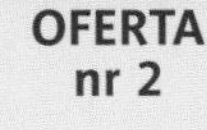

OFERTA nr 3

Lubisz wodę, słońce i przygodę? ZAPRASZAMY NA MAZURY! Wakacje pod żaglami
czarterowanie jachtów i żaglówek :: atrakcyjne ceny :: kursy żeglarskie dla dzieci i dorosłych :: rezerwacja telefoniczna lub online
ŻAGLOPOL, 87 654 98 08, www.zaglopol.mazury.pl

OFERTA nr 4

Zakopane zaprasza latem i zimą – zapraszamy Państwa w Tatry, tu czeka na Państwa: czyste powietrze, gwarantowany wypoczynek
NASZA OFERTA: zakwaterowanie w pensjonacie, akceptujemy zwierzęta, codziennie wycieczki w góry z przewodnikiem, weekendowe wycieczki na Słowację, latem możliwość wypożyczenia roweru, zimą kursy narciarskie dla dzieci i dorosłych
BIURO PODRÓŻY „TATRO-POL", www.tatropol.prv.pl

OFERTA nr 5

Interesujesz się historią, architekturą i kulturą polską? Proponujemy program: „Miesiąc w Polsce"
Oferujemy: wycieczki do polskich miast, zwiedzanie z przewodnikiem, zakwaterowanie w hotelach o wysokim standardzie, obiady w najlepszych restauracjach, przejazd z miasta do miasta superkomfortowym autokarem
Biuro Podróży TUR-POLONIUM, www.polonium.trav.pl

3b **Co będą mieć w walizce / w plecaku / w torbie osoby ze zdjęć z ćwiczenia 3a?**

latarka, namiot, słownik, ołówek, strój kąpielowy, kąpielówki, okulary przeciwsłoneczne, balsam do opalania, buty górskie, śpiwór, zeszyt, paszport, kurtka przeciwdeszczowa

..... jedzie nad morze, więc bierze ze sobą .....

3c **Dokąd chciałby Pan / chciałaby Pani pojechać? Którą ofertę Pan / Pani wybiera? Dlaczego? Proszę zrobić listę rzeczy, które bierze Pan / Pani ze sobą na urlop.**

CD 84-90

4a Proszę posłuchać nagrań i zdecydować, gdzie rozmawiają te osoby.

na dworcu autobusowym *na dworcu kolejowym*✓ *na lotnisku*
w biurze podróży *w hotelu* *na kempingu* *na granicy*

1 *na dworcu kolejowym*

– Dzień dobry. Proszę jeden bilet zwykły do Gdyni.
– Na kiedy?
– Na jutro. Godzina 22:45.
– To jest pociąg z miejscami do leżenia. Czy chce pan kuszetkę? Czy tylko miejscówkę?
– Przepraszam, nie rozumiem. Proszę powtórzyć.
– Czy chce pan kuszetkę? Miejsce do leżenia. Czy tylko rezerwację normalnego miejsca?
– Proszę kuszetkę. Przedział dla palących.
– W pociągu obowiązuje całkowity zakaz palenia.
– Nawet w wagonie restauracyjnym nie można palić?
– Przykro mi, ale nie można. Kupuje pan?
– No dobrze, biorę. Ile płacę?
– 125 złotych.

2 ....

– Jaka wycieczka panią interesuje?
– Chciałabym jechać na wycieczkę do Zakopanego.
– Zakwaterowanie w pensjonacie czy w hotelu?
– Chciałabym nocować w hotelu.
– Pokój jednoosobowy? Z pełnym wyżywieniem?
– Nie, proszę tylko ze śniadaniem.

3 ....

– Dzień dobry. Lot do Frankfurtu, tak?
– Tak. Proszę, to mój paszport, a to moja walizka. Mam nadzieję, że nie jest za ciężka.
– Nie, waży 18 kilogramów. To w porządku. Czy ma pani bagaż podręczny?
– Tak, mam plecak. Mam nadzieję, że nie jest za duży?
– Nie, nie jest za duży. Wszystko w porządku. Proszę, to pani karta pokładowa.

4 ....

– Dzień dobry. Proszę paszport.
– Proszę bardzo.
– Czy ma pan coś do oclenia? Czy ma pan alkohol?
– Tak, mam jedną butelkę wódki i karton papierosów.

5 ....

– Dzień dobry. Proszę jeden bilet do Warszawy na jutro rano, na godzinę 7:05.
– 78 złotych.
– Z którego stanowiska odjeżdża autobus?
– Z szóstego.

6 ....

– Przepraszam, gdzie są prysznice?
– Natryski? Proszę iść prosto, a potem za tym zielonym namiotem w lewo, widzi pan już?
– Tak, tak widzę. Trzeba płacić?
– Tak, prysznic i toaleta są płatne.

7 ....

– Dzień dobry, nazywam się Małgorzata Kotarbińska-Żurek, rezerwowałam wczoraj telefonicznie pokój dwuosobowy z łazienką.
– Tak, zgadza się, proszę dowód osobisty.

Wymowa

4b Proszę przeczytać z kolegą / koleżanką dialogi z odpowiednią intonacją.

• GRAMATYKA

4c Proszę poszukać rzeczowników i przymiotników: jaki mają rodzaj i w jakim są przypadku; gdzie jest mianownik, dopełniacz, biernik, narzędnik i miejscownik?

Przykład: Na dworcu kolejowym (dialog 1) – miejscownik, liczba pojedyncza, rodzaj męski

• SŁOWNICTWO

CD 91 **5a Proszę posłuchać rozmowy telefonicznej i zdecydować, która odpowiedź jest prawdziwa.**

lekcja 13

0. Pensjonat nazywa się:
   a) Refleks   b) Relaks   c) Rolmops
1. Paweł Mazurek chce przyjechać:
   a) w piątek   b) w przyszły czwartek   c) w przyszły piątek
2. Wszystkie pokoje:
   a) są dwuosobowe   b) są już zarezerwowane   c) są z łazienką
3. W sierpniu są jeszcze wolne pokoje:
   a) dwuosobowe z łazienką   b) trzyosobowe z łazienką   c) dwuosobowe bez łazienki
4. Paweł Mazurek w sierpniu:
   a) będzie na urlopie   b) nie będzie mieć urlopu   c) jedzie do znajomych
5. Numer kierunkowy do pensjonatu „Błękitna Fala" to:
   a) 68   b) 57   c) 58

CD 92 **5b Proszę posłuchać rozmowy telefonicznej i uzupełnić tekst.**

– Pensjonat „Błękitna Fala" słucham.
– Dzień dobry. Paweł Mazurek z tej ....strony........ [0]. Chciałbym zapytać, czy mają państwo jeszcze wolne .... [1]?
– Tak mamy, ale jaki pokój i jaki .... [2] pana interesuje?
– Chciałbym zarezerwować pokój dwuosobowy .... [3]. Od przyszłego piątku na tydzień.
– Tak, mamy taki pokój, kosztuje .... [4] złotych.
– Bardzo się cieszę. Czy w cenie jest śniadanie?
– Tak, śniadanie jest wliczone w cenę pokoju, jest też możliwość wykupienia pełnego wyżywienia. Czy chcą państwo też jeść .... [5] i .... [6]?
– Nie, tylko śniadanie.
– Dobrze, więc rezerwuję pokój dwuosobowy od przyszłego piątku na tydzień. .... [7], proszę powtórzyć jeszcze raz pana nazwisko.
– Paweł Mazurek.
– Czy mogę jeszcze prosić o telefon kontaktowy?
– Tak, mój telefon komórkowy – .... [8] 245 .... [9].
– Dziękuję i do zobaczenia w piątek.

6 Proszę ułożyć z kolegą / koleżanką dialog: telefoniczna rezerwacja pokoju w pensjonacie lub w hotelu. Proszę użyć następujących słów i fraz:

słucham, do zobaczenia, z tej strony, z widokiem na morze, ile metrów od plaży, z łazienką / bez łazienki, chciałbym / chciałabym zarezerwować, jaki termin, proszę przeliterować, czy mogę prosić o http://www.nawalizkach.pl

POLSKA INACZEJ!

Proponujemy nowe atrakcyjne oferty:
Wycieczki po Polsce, której nie znacie!

1. WAKACJE Z DUCHAMI

Ukryte skarby, duchy, czarownice. Niezwykłe miejsca w Polsce, w których dobrze będą bawić się nie tylko dzieci.

Łysa Góra (Góry Świętokrzyskie) – tu spotykają się czarownice
Niedzica – gdzie jest ukryty skarb Inków?
Kórnik – Biała Dama i jej ukryty skarb
Strzelce Opolskie – duchy w ruinach zamku
Tum – śladami łapy diabła Boruty
Złoty Stok – kopalnia, w której spotkasz dobrego ducha Gertrudę
i wiele innych

Cena: **899 PLN** od osoby (7 dni) / **1199 PLN** (14 dni), dzieci do lat 10 za pół ceny!

Zakwaterowanie: przytulne, prorodzinne pensjonaty, apartamenty rodzinne trzy- i czteroosobowe z WiFi, łazienką i balkonem, domowa atmosfera. Blisko znajdują się także obiekty sportowe, baseny, korty tenisowe, stadniny koni, wesołe miasteczka, kawiarnie, restauracje, dyskoteki.

Wyżywienie: śniadania – szwedzki stół, możliwość wykupienia obiadokolacji.

Cena zawiera: zakwaterowanie, śniadania, wycieczki, program popołudniowy dla dzieci (za dodatkową opłatą).

Cena nie zawiera: ubezpieczenia od spotkania z duchem.

Wycieczki fakultatywne: do uzgodnienia, według potrzeb klienta.

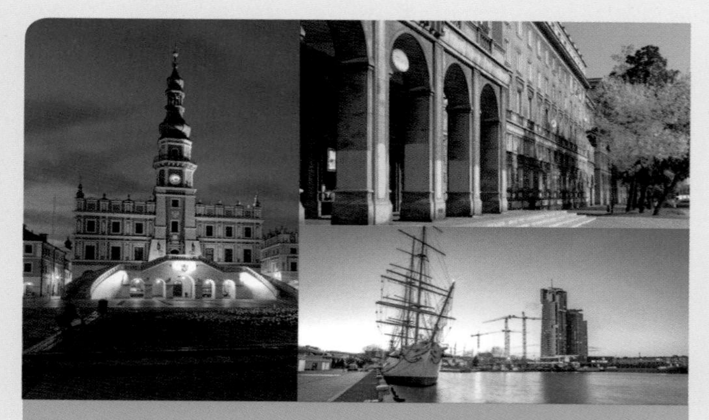

2. MIASTA IDEALNE

Wycieczka śladami polskich pereł urbanistycznych. Trzy różne miasta, w trzech różnych regionach Polski. Jeśli interesujesz się architekturą, urbanistyką i historią Polski, to ten niepowtarzalny program turystyczny jest dla Ciebie idealny.

Miasta: Zamość, Gdynia, Nowa Huta.

Cena: **1800 PLN** od osoby (7 dni).

Cena zawiera: noclegi w hotelach trzygwiazdkowych, śniadania, przejazdy autokarem, opiekę pilota, zwiedzanie z przewodnikiem, 3 wieczory tematyczne z prezentacjami multimedialnymi (tłumacz za dodatkową opłatą).

Cena nie zawiera: ubezpieczenia, opłat za wstęp do muzeów, wyżywienia (oprócz śniadań).

3. MOJA POLSKA

Program indywidualny i grupowy, także wyjazdy integracyjne, spotkania jubileuszowe, zielone szkoły.

Miasta: do wyboru, do koloru. Klient sam decyduje o doborze miast i miejsc, które chce zwiedzić.

Cena: do negocjacji, zależy od długości wycieczki, miejsc noclegowych, liczby atrakcji, liczby uczestników.

Wyżywienie: śniadania lub pełne wyżywienie, proponujemy polską kuchnię w dobrych cenach.

Cena zawiera: konstrukcję programu turystycznego i atrakcji sportowych według potrzeb klienta, transport, wyżywienie.

Satysfakcja gwarantowana!
Informacje i rezerwacja: 0801-123-234, oferty@nawalizkach.com.pl

7a Proszę przeczytać ofertę biura turystycznego i odpowiedzieć na pytania.

Przykład: Czy oferta „Wakacje z duchami" jest atrakcyjna dla rodzin z dziećmi? Tak, ta oferta jest atrakcyjna dla rodzin z dziećmi.

1. „Wakacje z duchami" to oferta na tydzień czy dwa tygodnie?
2. Czy dzieci do lat 10 mogą jechać na „Wakacje z duchami" za darmo?
3. Co zawiera cena programu „Wakacje z duchami": noclegi, pełne wyżywienie, program popołudniowy dla dzieci, spotkania z duchami?
4. Jak wyglądają śniadania w programie „Wakacje z duchami"?
5. Czy oferta „Miasta idealne" to wycieczka do stolicy Polski?
6. Za co w programie „Miasta idealne" turysta musi płacić dodatkowo: za śniadania, za przejazdy autokarami, za bilety do muzeów, za tłumacza?
7. Czy w programie „Miasta idealne" turysta nocuje w hostelach?
8. Czy oferta „Moja Polska" jest programem, w którym klient decyduje, dokąd chce pojechać?
9. Czy w programie „Moja Polska" cena wszystkich wycieczek jest taka sama?
10. Czy w programie „Moja Polska" cena zawiera transport?

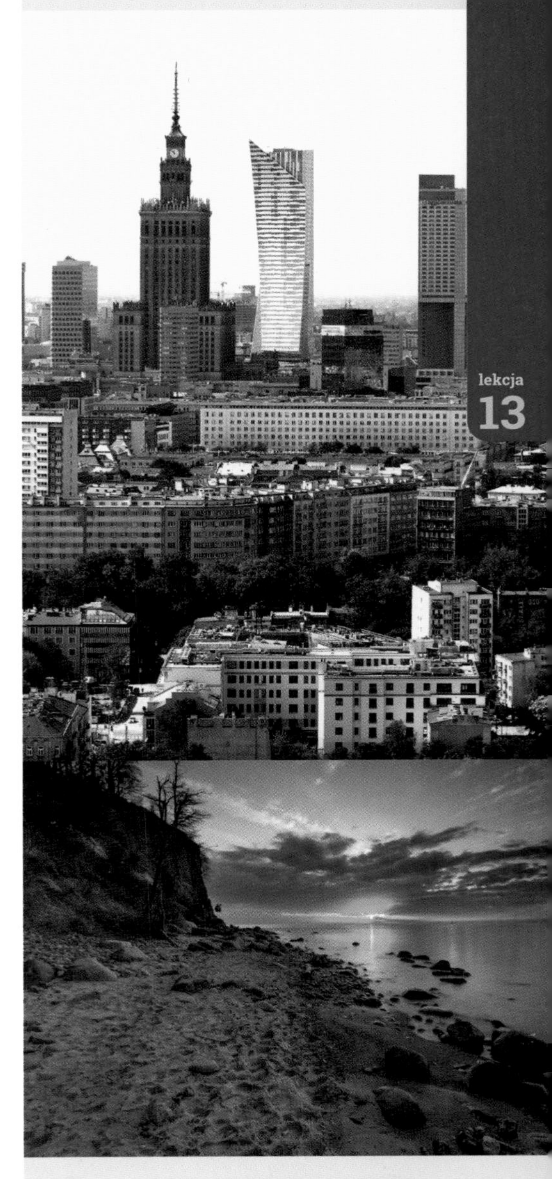

7b Proszę pracować w grupie. Proszę wybrać jedno z zadań. Mogą Państwo korzystać z internetu lub innych źródeł.

1. W wielu krajach kultywuje się tradycje miejsc tajemniczych, ukrytych skarbów, duchów w ruinach zamków itp. A w Pana / Pani kraju? Proszę przygotować ofertę „Wakacje z duchami w ... ".
2. Proszę znaleźć w internecie informacje na temat Zamościa, Gdyni i Nowej Huty. Gdzie są te miasta w Polsce? Dlaczego nazwane są w ofercie „miastami idealnymi"? Proszę zaprezentować te informacje, uzupełniając ofertę „Miasta idealne".
3. Proszę napisać dialog na podstawie oferty „Moja Polska". Organizuje Pan / Pani wycieczkę do Polski dla swoich przyjaciół lub kolegów z kursu języka polskiego. Dzwoni Pan / Pani do biura podróży i uzgadnia szczegóły.

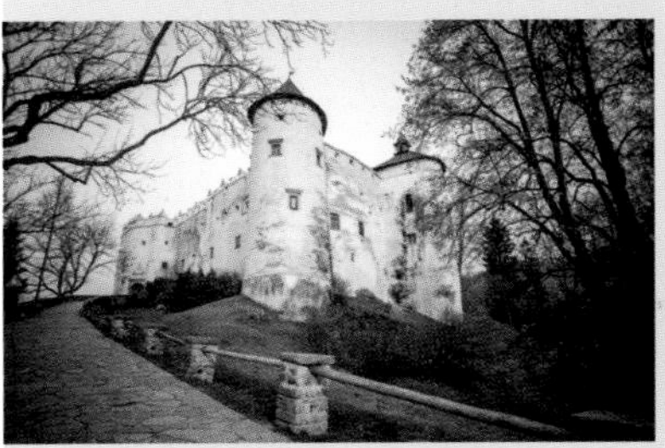

7c Jest Pan zainteresowany / Pani zainteresowana jedną z ofert biura podróży „Na walizkach", ale brakuje Panu / Pani jeszcze kilku informacji. Proszę zrobić listę pytań i napisać e-mail z pytaniami o informacje, które są dla Pana / Pani ważne.

....
....
....
....
....
....
....
....

7d Proszę uzupełnić e-mail do biura „Na walizkach".

Od: ....
Do: oferty@nawalizkach.com.pl
Data: ....
Temat: Prośba o informacje

Szanowni Państwo,

jestem zainteresowan .... Państwa ofertą wycieczki do ....
Nie mam jednak wszystkich informacji. Po pierwsze – ....
....
Po drugie – ....
Nie wiem także, ...
Czy można .... ?
Będę wdzięczn .... za szybką odpowiedź.

Z poważaniem
....

URLOP / WAKACJE

8a Proszę przeczytać pozdrowienia z wakacji i zdecydować, gdzie spędziły urlop osoby, które je napisały.

w Pradze	*nad jeziorem*
w górach✓	*nad morzem*
w Zakopanem	*u rodziny*

Kochana Ciociu! **0** *w górach*
Przesyłamy słoneczne pozdrowienia z pięknych Bieszczad. Mieszkamy w małym, przytulnym pensjonacie. Codziennie robimy długie piesze wycieczki. Jest wspaniale. Czyste powietrze i natura. Nie chcemy wracać do pracy!
Marta i Mariusz

Kochani Rodzice! **1** ....
Deszczowe pozdrowienia z Mazur przesyłają
Wojtek i Marek
Ludzie są tu bardzo sympatyczni, Mazury piękne, ryby smaczne, ale pogoda fatalna. Pada i pada...

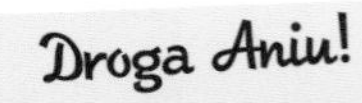

2 .... Drogi Wojtku!
Gorąco pozdrawiamy ze stolicy Czech. Jest fantastycznie, miasto przepiękne, robimy dużo zdjęć.
Kasia i Ania

3 .... Droga Aniu!
Pozdrawiamy gorąco z Kazimierza nad Wisłą. Mieszkamy w bardzo ładnym miejscu, u cioci. W ogóle miasto jest piękne, a pogoda fantastyczna.
Do zobaczenia w Warszawie
Romek i Agnieszka

Cześć Marek! **4** ....
Pozdrawiam serdecznie ze stolicy polskich Tatr
Andrzej
Jest świetnie, codziennie jeżdżę na nartach. Mieszkam w bardzo ładnym i niedrogim pensjonacie.
Pozdrów ode mnie siostrę!

Cześć!
Przesyłam serdeczne pozdrowienia z Ustki. Morze, plaża, piwo, piękne kobiety i relaks. Jest świetnie!
Do zobaczenia
Wojtek **5** ....

8b Proszę zaprojektować pocztówkę i napisać pozdrowienia z wakacji do kolegi / koleżanki z kursu albo do znajomego / znajomej w Polsce.

• GRAMATYKA

9a **Proszę przeczytać przykłady w tabeli. Z jakim przypadkiem łączą się przyimki w tabeli? Czy jest to dopełniacz, biernik, narzędnik czy miejscownik?**

PRZYIMKI

dynamicznie	***do + ...*** **do kogo?**	***do + ...*** **dokąd?**	***na + ...*** **dokąd?**	***na + ...*** **na co?**	***w + ...*** **dokąd?**	***nad + ...*** **dokąd?**
idę / chodzę jadę / jeżdżę lecę / latam itp.	do kolegi do przyjaciół do rodziny do fryzjera	do Polski do Krakowa do domu do kawiarni do kina do parku	na plac na peron na parking na Mazury na wyspę na Majorkę **na pocztę** **na uniwersytet** **na dworzec**	na kawę na piwo na spacer na wykład na kurs	w góry w Tatry w Alpy w Sudety w Bieszczady	nad morze nad jezioro nad rzekę nad Bałtyk nad Wisłę
statycznie	***u + ...*** **u kogo?**	***w + ...*** **gdzie?**	***na + ...*** **gdzie?**	***na + ...*** **na czym?**	***w + ...*** **gdzie?**	***nad + ...*** **gdzie?**
jestem mieszkam czekam itp.	u kolegi u przyjaciół u rodziny u fryzjera	w Polsce w Krakowie w domu w kawiarni w kinie w parku	na placu na peronie na parkingu na Mazurach na wyspie na Majorce **na poczcie** **na uniwersytecie** **na dworcu**	na kawie na piwie na spacerze na wykładzie na kursie	w górach w Tatrach w Alpach w Sudetach w Bieszcza-dach	nad morzem nad jeziorem nad rzeką nad Bałtykiem nad Wisłą

9b **Proszę dokończyć zdania.**

Przykład: Wczoraj byliśmy w ..*kinie*.. . Pojechaliśmy do ..*kina*.. autobusem. (kino)

1. Marcin studiuje w Krakowie na .... Jagiellońskim – codziennie chodzi na .... (uniwersytet)
2. Ewa często chodzi na .... – na .... kupuje znaczki i wysyła listy. (poczta)
3. Ten student chce jechać na semestr do .... Nigdy jeszcze nie studiował w .... (Polska)
4. Przepraszam, ale czekają na mnie w .... Naprawdę nie mam czasu, muszę wracać do .... (dom)
5. Renata była u .... – ma teraz nową fryzurę. Ona często chodzi do .... (fryzjer)
6. Byliście kiedyś na .... ? Naprawdę jeszcze nie? Niemożliwe, koniecznie musicie pojechać na .... (Mazury)
7. W weekend jedziemy w .... Wiosną co weekend jesteśmy w .... (góry)
8. Na wakacje jadę nad .... Zawsze latem jestem nad .... (morze)
9. W piątek po pracy idę z kolegami na .... Zwykle w piątki jesteśmy razem na .... (piwo)
10. Byłeś na ostatnim .... profesora Wójcika? Ja nie mogłem niestety iść na ten .... i teraz nie mam notatek. (wykład)

lekcja 13

9c Jaki przyimek?

Przykład: Marta była w zeszłym tygodniu .....u..... fryzjera.

1. Andrzej był .... świetnym wykładzie o historii Polski.
2. W niedzielę byliśmy .... rodziców .... obiedzie.
3. W przyszłym tygodniu jadę .... góry .... Zakopanego.
4. Nigdy nie byliśmy .... Polsce.
5. Muszę iść .... pocztę, bo muszę kupić znaczek na list.
6. Kraków i Warszawa leżą .... Wisłą, Wrocław .... Odrą, a Poznań .... Wartą.
7. Dawno nie byliśmy .... kinie .... dobrym filmie.
8. Masz ochotę iść ze mną .... spacer?
9. Muszę iść .... dentysty .... kontrolę.
10. W Niemczech są dwa miasta, które nazywają się Frankfurt – jedno leży .... Menem, a drugie na granicy z Polską – .... Odrą.

9d Proszę zadać pytanie.

Przykład: Pojechałem do kolegi. Do kogo pojechałeś? .

1. Idziemy na urodziny do przyjaciela. ....
2. Byliśmy na urodzinach u przyjaciela. ....
3. Jadę na urlop na Mazury. ....
4. Spędziłem urlop na Mazurach. ....
5. W weekend jedziemy w góry. ....
6. Górale mieszkają w górach. ....
7. Jedziemy nad morze. ....
8. Byliśmy nad morzem. ....
9. Idę do teatru. ....
10. W piątek wieczorem byłem w teatrze. ....

9e Proszę odpowiedzieć na pytanie.

Przykład: Gdzie byliście po południu? (spacer) Po południu byliśmy na spacerze .

1. Na co masz ochotę? (kawa) ....
2. U kogo nocowałeś? (rodzina) ....
3. Dokąd idziesz? (uniwersytet) ....
4. Gdzie pracuje wykładowca? (uniwersytet) ....
5. Dokąd się tak spieszysz? (dworzec) ....
6. Gdzie będziecie czekać? (dworzec) ....
7. Dokąd idziesz? (peron) ....
8. Gdzie będziesz czekać? (peron) ....
9. Dokąd idziecie? (poczta) ....
10. Gdzie jesteś? (poczta) ....

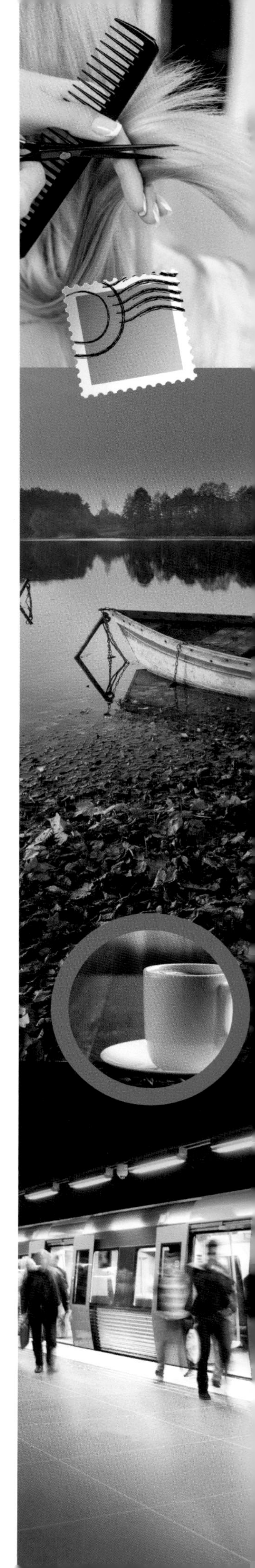

I Czy już umiesz po polsku (3 zadania do wyboru):

- kupić bilet kolejowy?
- zapytać o infomację na dworcu?
- napisać ofertę turystyczną miasta / kraju, w którym mieszkasz?
- napisać pocztówkę z wakacji?
- napisać e-mail do biura podróży z prośbą o udzielenie informacji?
- opowiedzieć o tym, jak spędziłeś / spędziłaś ostatni urlop?
- opowiedzieć o tym, jak lubisz spędzać wakacje?
- zarezerwować pokój w hotelu przez telefon lub drogą elektroniczną?

II Proszę zarezerwować pokój w hotelu.

http://www.e.podroze.trav.pl

podróże > noclegi > rezerwacja on-line

kraj: ____

miasto: ____

rezerwuj pokój: ○ w hotelu ○ w pensjonacie ○ w kwaterze prywatnej
○ drogi ○ średni ○ tani ○ bardzo tani

pokój dla palących: ○ tak ○ nie ○ bez znaczenia
○ jednoosobowy ○ dwuosobowy ○ apartament
○ z łazienką ○ bez łazienki ○ z wc
○ ze śniadaniem ○ bez śniadania ○ pełne wyżywienie

termin: od (dzień) (miesiąc) (rok) do (dzień) (miesiąc) (rok)

imię: ____

nazwisko: ____

adres e-mail: ____

telefon kontaktowy: ____

numer karty kredytowej: ____

III Proszę obejrzeć film i zanotować, jak te osoby spędziły urlop, gdzie były, co robiły itp.

DVD 21

IV Proszę zdecydować, gdzie będą znajdować się te słowa w tabeli w ćwiczeniu 9a. Można pracować albo indywidualnie – proszę wybrać 5 słów i napisać z nimi zdania, albo w grupie – proszę napisać historyjkę w czasie przeszłym z jak największą liczbą podanych słów. Wygrywa grupa, która ma najwięcej poprawnych form.

pub kuzyn lekcja bar lotnisko toaleta spektakl film babcia przystanek autobusowy Himalaje dentysta Pireneje Odra wystawa

SYTUACJE KOMUNIKACYJNE opisywanie i wynajmowanie mieszkania • informacje na automatycznej sekretarce

SŁOWNICTWO dom i mieszkanie • meble i sprzęty • wynajem

GRAMATYKA I SKŁADNIA przyimki z różnymi przypadkami • mianownik i biernik liczby mnogiej przymiotników i rzeczowników niemęskoosobowych

MATERIAŁY AUTENTYCZNE folder reklamowy • artykuł prasowy • ogłoszenia • list do redakcji

Szukam mieszkania

SŁOWNICTWO W MIESZKANIU

1 Proszę podpisać rysunki.

fotel krzesło stół lodówka sofa prysznic telewizor dywan regał kwiatek lampa zdjęcie biurko łóżko zlew sedes odtwarzacz DVD

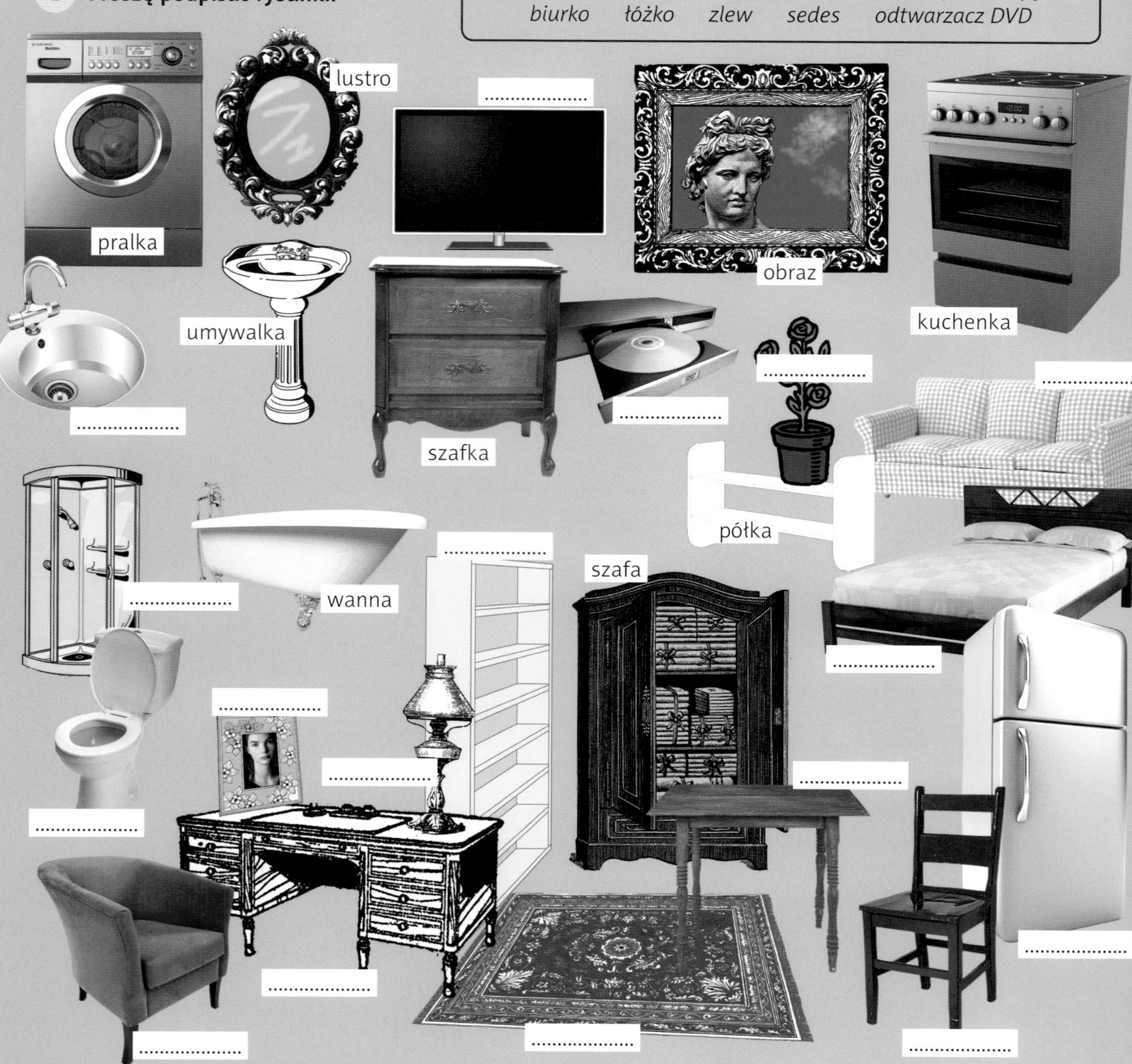

2 **Proszę powiedzieć i zapisać, co może znajdować się:**

W przedpokoju: *lustro, szafa, lampa i* ....
W kuchni: ....
W pokoju dziennym: ....
W sypialni: ....
W łazience: ....
W piwnicy: ....
W garażu: ....
Na tarasie / na balkonie: ....
W pokoju w hostelu: ....
W pokoju w hotelu czterogwiazdkowym: ....

3 **Proszę wybrać właściwe słowo.**

Przykład: Rano myję się *w łazience*. (w łazience, w pokoju, w kuchni)
1. Komputer stoi .... (na biurku, na stole, na krześle)
2. Lodówka jest .... (w łazience, w kuchni, w garażu)
3. Samochód stoi .... (w pokoju, w domu, w garażu)
4. Śpię .... (w sypialni, w wannie, w piwnicy)
5. Jem śniadanie .... (w kuchni, w łazience, w przedpokoju)
6. Gazeta leży .... (na stole, w lodówce, w wannie)
7. Biorę prysznic .... (w toalecie, w łazience, w jadalni)
8. Odpoczywam .... (w piwnicy, w garażu, w pokoju dziennym)

* Na podstawie: Katalog *IKEA*.[3]

4a **Proszę uzupełnić tytuły rozdziałów katalogu domu meblowego*.**

Kuchnie i jadalnie *Pokoje dzienne*✓
Gabinety i pokoje do pracy *Sypialnie*
Ważne informacje *Przedpokoje*

GRAMATYKA

4b **Z kolegą / koleżanką proszę poszukać w spisie treści tego katalogu przymiotników i rzeczowników w liczbie mnogiej.**

4c **Proszę napisać liczbę pojedynczą tych przymiotników i rzeczowników.**

4d **Jak Państwo myślą? Jak tworzymy mianownik liczby mnogiej przymiotników i rzeczowników niemęskoosobowych?**

lekcja 14

MIANOWNIK I BIERNIK LICZBY MNOGIEJ PRZYMIOTNIKÓW I RZECZOWNIKÓW NIEMĘSKOOSOBOWYCH

	rodzaj męski i żeński		rodzaj nijaki	
Przykłady:	Mam w pokoju dwie ładn**e** sof**y**. Ile kosztują te nisk**ie** stolik**i**? Kupuję mebl**e** biurowe.		Te lustr**a** są bardzo drog**ie**.	
przymiotnik JAKIE?	**-e** (-k, -g) **-ie**	biurowy – biurowe drogi – drogie		
rzeczownik KTO? CO? KOGO? CO?	**-y** (-k, -g) **-i** (-c, dz, cz, sz, rz/ż, ś, ź, ć, dź, ń, l, j, i) **-e**	sofa – sofy stolik – stoliki materac – materace	**-a**	lustro – lustra

5 Proszę opracować w grupie (do wyboru).

a) ofertę handlową na targi mieszkaniowe
b) stronę internetową sklepu meblowego

Proszę użyć rzeczowników w liczbie mnogiej (przynajmniej 12) oraz następujących słów i zwrotów:

Zapraszamy do...
Proponujemy...
W naszej ofercie znajdują się...

6a Proszę przeczytać artykuł z gazety* i odpowiedzieć na pytania.

urządzamy
Pokój dzienny

W pokoju dziennym przede wszystkim odpoczywamy, oglądamy telewizję, słuchamy muzyki albo spotykamy się ze znajomymi. Pokój dzienny musi być więc wyposażony w funkcjonalne meble. Nie proponujemy jednak wstawiać do niego za dużo mebli. W pokoju dziennym dużo siedzimy, musi więc być w nim: wygodna sofa, a przy niej fotele. Dobrze, kiedy przed sofą stoi niski stolik. Na nim mogą stać napoje. Ważną rolę pełni też lampa – może wisieć na suficie nad stolikiem albo stać na podłodze obok sofy. Na środku pokoju leży dywan. Przy ścianie proponujemy postawić niską szafkę na telewizor czy odtwarzacz DVD. Przy ścianie albo najlepiej za drzwiami może stać też nieduży regał z książkami. Nie może on jednak zdominować pokoju. Na ścianach wiszą reprodukcje obrazów lub zdjęcia z własnej kolekcji. Coś jeszcze? Czekamy na Państwa propozycje...

* Na podstawie *Urządzamy pokój dzienny*, „Moje Mieszkanie"

UWAGA!
wisieć: lampa wisi, obrazy wiszą
stać: książka stoi, książki stoją
leżeć: dywan leży, poduszki leżą

1. Co robimy w pokoju dziennym?
2. Co musi być w pokoju dziennym?
3. Czy w pokoju dziennym musi być dużo mebli?
4. Na czym siedzimy w pokoju dziennym?
5. Gdzie może stać stolik?
6. Gdzie może znajdować się lampa?
7. Gdzie stoi szafka na telewizor?
8. Gdzie może stać regał z książkami?
9. Gdzie wiszą zdjęcia?
10. Gdzie leży dywan?

GRAMATYKA

6b **Proszę poszukać przyimków w artykule z ćwiczenia 6a. Proszę zrobić listę przyimków, które łączą się z narzędnikiem, miejscownikiem, dopełniaczem.**

narzędnik

miejscownik

dopełniacz

7 **Proszę napisać rzeczownik w odpowiednim przypadku.**

Przykład: Lampa wisi nad ...*biurkiem*.... . (biurko)

1. Łóżko stoi na .... (dywan)
2. Pod .... jest dywan. (łóżko)
3. Przed .... jest ogród. (dom)
4. Obok .... jest garaż. (dom)
5. Nie wiem, gdzie jest kot. Może jest za .... ? (szafa)
6. Między .... a .... jest stolik. (sofa, fotel)
7. Biurko stoi przy .... (ściana)
8. Krzesło stoi przy .... (biurko)
9. W .... są ubrania. (szafa)
10. Dywan leży na .... (podłoga)

8 **Proszę znaleźć 12 szczegółów, które różnią te rysunki.**

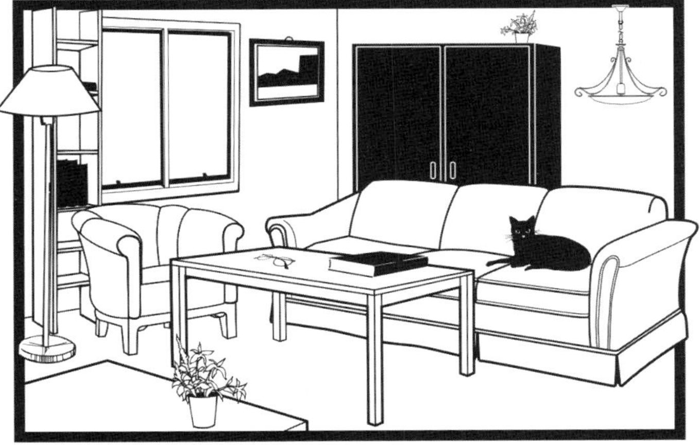

9 **Proszę zapytać kolegę / koleżankę, jak wygląda jego / jej pokój. Na podstawie usłyszanych informacji proszę narysować ten pokój.**

WIZYTA U LEKARZA

CD 97

8a Rejestracja w przychodni „Eskulap". Proszę posłuchać nagrania, a następnie odpowiedzieć na pytania.

– Jak nazywa się lekarz? ....
– Jak nazywa się pacjent? ....
– Na jaki dzień tygodnia jest zaplanowana wizyta? ....
– Na którą godzinę? ....

CD 98 DVD 23

8b Proszę obejrzeć film lub wysłuchać nagrania *U lekarza*, a następnie dopasować brakujące fragmenty dialogu.

Co panu dolega? *rozebrać*
czuję *gorączkę* *katar*
kaszel *recepty*

Pacjent: Dzień dobry, panie doktorze.
Lekarz: Dzień dobry. .... ?
P.: Nie wiem, ale źle się ....
L.: Czy ma pan .... ?
P.: Tak, 38,5. I mam też .... i ....
L.: Jak długo?
P.: 3 dni.
L.: Proszę się .... Zbadam pana.
(po chwili)
L.: Tak, to grypa. Proszę leżeć w łóżku tydzień, pić gorącą herbatę. Proszę, tu są .... na lekarstwa. Apteka jest niedaleko na tej ulicy.
P.: Dziękuję. Do widzenia.

8c Proszę z kolegą / koleżanką ułożyć dialog *Hipochondryk u lekarza*, a następnie zaprezentować go na forum grupy.

....
....
....
....
....
....
....
....
....
....
....
....

9a **Co robić, żeby nie chorować? Proszę z kolegami / koleżankami przygotować listę.**

Przykład: ....*Można / trzeba pić mleko.*........ ....*Nie wolno tłusto jeść.*........

1. ....
2. ....
3. ....
4. ....

lekcja 15

9b **Pani Gabriela ma problem i napisała list do redakcji magazynu „Twoje Problemy". Proszę:**
– przeczytać list,
– napisać odpowiedź na list z użyciem podanych fraz.

Szanowna Redakcjo,

mam problem. Od dziecka byłam za gruba - moi rodzice zawsze mówili, że muszę dużo jeść. W szkole miałam problemy na lekcjach gimnastyki. Na studiach miałam dużo stresu i zaczęłam też palić papierosy. Teraz nie pracuję zawodowo, bo mam małe dziecko i siedzę w domu. Nie mam czasu na sport, palę 20 papierosów dziennie i ważę 120 kg (mam 170 cm wzrostu). Robiłam różne diety, ale bez efektów. Chciałabym być szczupła i zdrowa dla mojego synka. Co robić? Proszę o radę.

Z poważaniem
Gabriela z Wrocławia

musi Pani *może Pani* *uprawiać sport*
nie palić *jeść owoce i warzywa* *pić soki*
dużo spacerować *nie stresować się*

Szanowna Pani,

Dziękujemy za list. Rozumiemy Pani problem i mamy dla Pani kilka rad:
- po pierwsze ....
....,
- po drugie ....
....
Co jeszcze? ....
....

Z poważaniem
Redakcja

9c **Proszę porozmawiać w grupie – czy Państwa zdaniem Gabriela żyje zdrowo? Jaki jest zdrowy styl życia?**

9d **Proszę z kolegą / koleżanką napisać krótki list do redakcji magazynu „Dobra Rada" – rubryka *Mam problem*. Druga grupa to redakcja, która następnie odpowiada na Państwa list.**

10 **Proszę przeczytać broszurę klubu fitness „Atleta" i zanotować informacje:**

1. Adres – ....
2. Godziny otwarcia – ....
3. Ceny – ....
4. Rabaty, promocje – ....
5. Co oferuje klub? – ....
6. Jak tam dojechać? – ....

Klub fitness „Atleta"

ul. Zdrowa 15 (za hipermarketem „Mamona" skręcić w lewo)
Tel. 12 458-90-00

U nas stracisz kilogramy, zyskasz muskuły, odpoczniesz w saunie, opalisz się w solarium. Oferujemy profesjonalne zajęcia: step, aerobik, joga, capoeira. Siłownia – basen – sauna – masaż. Promocyjne ceny dla panów!

Ceny za godzinę zajęć: wejście jednorazowe 10 zł, karnet miesięczny (7.00 – 16.00) 60 zł, (16.00 – 23.00) 90 zł. Dla stałych klientów siłownia za darmo!

Basen: 12 zł za godzinę, 30% rabatu dla grup.
Sauna (1 osoba) 10 zł.
Masaż 20 min — 45 zł.

I Proszę przeczytać te teksty i dopasować je do fotografii.

a) Jesienią, jeśli nie muszę, nie wychodzę z domu. Z moim reumatyzmem i przeziębieniami to niebezpieczne. Wieczorem zostaję w domu, piję gorącą herbatę z cytryną i miodem, czytam, dzwonię do znajomych albo chodzę do sąsiadki na partyjkę brydża.

b) W tym roku lato jest wyjątkowo gorące. Kto wie, może to rezultat dziury ozonowej? Ale ja się cieszę, bo wolę słoneczną pogodę. Niestety, nie mam urlopu w tym roku. Może pojadę na jeden lub dwa weekendy na żagle na Mazury.

c) Zimą w Polsce jest zwykle bardzo zimno i często pada śnieg. Wszyscy nosimy grube swetry, kurtki, czapki, ciepłe buty oraz oczywiście szaliki i rękawiczki. W weekendy jeździmy z całą rodziną lub znajomymi w góry na narty.

II Proszę znaleźć w tekstach z ćwiczenia I słowa związane z pogodą.

Przykład: ...*jest zimno,*..

III Proszę uzupełnić pytania do tekstów z ćwiczenia I.

Tekst a)

Kiedy ....?

Co ....?

Dokąd ....?

Tekst b)

Dlaczego ....?

Jaką ....?

Do kogo ....?

Tekst c)

Jakie ....?

Czy ....?

Jak spędzi ....?

LEKCJA 16

SYTUACJE KOMUNIKACYJNE	opisywanie przeszłości (proces, fakt)
SŁOWNICTWO	biografia
GRAMATYKA I SKŁADNIA	czas przeszły (aspekt dokonany) • powtórzenie czasu przeszłego (aspekt niedokonany)
MATERIAŁY AUTENTYCZNE	artykuł prasowy • audycja radiowa • notki biograficzne laureatów Paszportów „Polityki"

Urodziłem się w Polsce

• SŁOWNICTWO

1a Oto biografia dziadka pana Kowalskiego. Proszę podpisać rysunki słowami z ramki.

Pan Józef Kowalski:

otworzył firmę *zarobił* *urodził się*✓ *chodził* *mieszkał* *skończył studia*
wyszła za mąż *studiował* *wrócił* *podróżował* *wyemigrował* *pracował*

BIOGRAFIA

urodził się w Polsce

.... do szkoły

zdał maturę

zaczął studia

....

....

....

ożenił się z Marią / Maria .... za Józefa

dużo ....

.... dużo pieniędzy

dużo ....

....

.... za granicą

zestarzał się

.... do Polski

umarł

1b **Proszę porozmawiać z kolegą / koleżanką na temat biografii Mikołaja. Jak Państwo myślą, co Mikołaj robił w przeszłości? Jakie mają Państwo hipotezy?**

O nich
SIĘ MÓWI

Mikołaj Brzęczuszczyński:

***najmłodszy w Polsce milioner**, właściciel firmy cateringowej „Kanapkarnia" i sieci barów sałatkowych. Zatrudnia 250 osób. Mieszka w ogromnej rezydencji pod Warszawą razem z żoną Alicją i jej rodzicami. W wolnych chwilach występuje ze swoim zespołem „Brzęczyk" – gra na bębnach; dają tylko koncerty charytatywne.*

1. Mikołaj urodził się w Polsce, ale jako dziecko wyemigrował z rodzicami do USA. Dlaczego rodzice zdecydowali się wyemigrować? Jakie problemy mieli na emigracji?
2. O czym marzył Mikołaj, kiedy był nastolatkiem?
3. Ile lat miał Mikołaj, kiedy zarobił pierwsze pieniądze? Jak je zarobił?
4. Ile lat miał Mikołaj, kiedy otworzył pierwszy bar sałatkowy?
5. Czy Mikołaj skończył studia? Jeśli tak, to jakie?
6. Dlaczego i kiedy zdecydował się wrócić do Polski? Czy jego rodzice też wrócili? Dlaczego tak/nie?
7. Co jest najważniejsze w życiu Mikołaja?
8. Czy chciałby coś zmienić w swoim życiu?
9. Jakie ma plany?
10. Jaka jest recepta na sukces finansowy?

- *Myślę, że... / Myślimy, że...*
- *Wydaje mi się, że... / Wydaje nam się, że...*
- *Moim zdaniem... / Naszym zdaniem...*

7c **Proszę odpowiedzieć na pytania.**

– Co zajmuje Panu / Pani najwięcej czasu?
– Co zajmuje Panu / Pani za mało czasu?
– Co zajmuje Panu / Pani za dużo czasu?

..... zajmuje mi dużo czasu / mało czasu / godzinę.
Najwięcej czasu zajmuje mi .....

GRAMATYKA

7d **Proszę utworzyć rzeczowniki od podanych czasowników.**

-nie: pisać pływać, czytać, słuchać, śpiewać, uprawiać, interesować się, podróżować, fotografować, rozumieć	*pisanie* ....
-enie: robić, uczyć się mówić, jeździć, lubić, chodzić, tańczyć	*robienie, uczenie się* ....
-cie: myć, zamknąć pić, być, wejść, wyjść	*mycie, zamknięcie (ą : ę)* ....

7e **Jakie są reguły tworzenia tych form? Proszę porozmawiać z kolegą / koleżanką. Proszę sprawdzić reguły w tabeli.**

RZECZOWNIK ODCZASOWNIKOWY	
-nie: bezokolicznik **-ać, -ować, -eć**	pływa-nie, fotografowa-nie, rozumie-nie
-enie: bezokolicznik **-ić, -yć**	chodz-enie, ucz-enie się
-cie: krótkie czasowniki typu *myć, pić* i bezokolicznik **-ąć**	my-cie, zamknię-cie (ą:ę)

Sprzątanie, gotowanie, robienie zakupów, zarabianie pieniędzy – wszystko ja! A gdzie czas na czytanie, oglądanie telewizji, podróżowanie? Na życie?!

UWAGA!

chorowanie / choroba
jeżdżenie / jazda
podróżowanie / podróż
pracowanie / praca

7f **Proszę uzupełnić zdania właściwymi formami rzeczowników odczasownikowych (-nie, -enie, -cie).**

Przykład: *Pisanie* .... po polsku jest bardzo łatwe. (pisać)
a) Codzienne .... zajmuje mi godzinę. (sprzątać)
b) .... szkodzi zdrowiu. (palić)
c) .... sportu jest świetnym hobby. (uprawiać)
d) .... języków jest dziś konieczne. (uczyć się)
e) .... Polski do Unii to ważny historycznie moment. (wejść)
f) Bardzo proszę skoncentrować się na .... tekstu. (czytać)
g) .... jest dobrą metodą na relaks. (biegać)
h) Od .... na słońcu jestem cała czerwona. (leżeć)
i) .... do niego nie ma sensu. On i tak tego nie słucha. (mówić)
j) Ile czasu zajmie ci .... tego ćwiczenia? (zrobić)

SŁOWNICTWO

8a O jakich miejscach jest mowa w poniższych tekstach? Proszę dopasować nazwy miejsc do fragmentów tekstów.

stadion siłownia park wodny centrum SPA sklep sportowy lodowisko

Najtańsze narty w Warszawie!
50% zniżki na kombinezony narciarskie!

Wstęp
11 zł / godzina
wypożyczenie łyżew
10 zł / 2 godziny

Jesteś zmęczona? Nie masz urlopu? Potrzebujesz relaksu i odnowy?

Możesz przyjechać do nas – już po jednym weekendzie poczujesz się jak nowo narodzona!

Odwiedziło nas już 15 tysięcy klientów! W tym roku organizujemy wielki bal sylwestrowy w kostiumach kąpielowych – oferujemy cztery baseny, jaccuzi, trampoliny do 15 metrów.

Zapraszamy 31 XII o 20.00. Liczba miejsc ograniczona!

20 tysięcy kibiców oglądało dzisiejszy mecz.

NASI WYKWALIFIKOWANI INSTRUKTORZY ZAPLANUJĄ Z PAŃSTWEM INDYWIDUALNY PROGRAM ĆWICZEŃ, ODPOWIEDNI DO PAŃSTWA KONDYCJI I WIEKU.

8b Czego Pan / Pani potrzebuje do uprawiania tych dyscyplin sportowych? Proszę uzupełnić tabelę.

Pływanie	Narciarstwo	Piłka nożna	Siłownia i fitness	Bieganie
kostium kąpielowy				

9a **Proszę przeczytać tekst, a następnie odpowiedzieć na pytania.**

a) Kim jest Otylia Jędrzejczak?
b) Jaki jest cel fundacji Otylii Jędrzejczak?
c) Dla kogo jest fundacja?
d) Jaką opinię na temat sportu ma Otylia Jędrzejczak?
e) Kiedy będzie pierwszy projekt fundacji?
f) Co będzie w programie *Otylia Swim-Tour*?

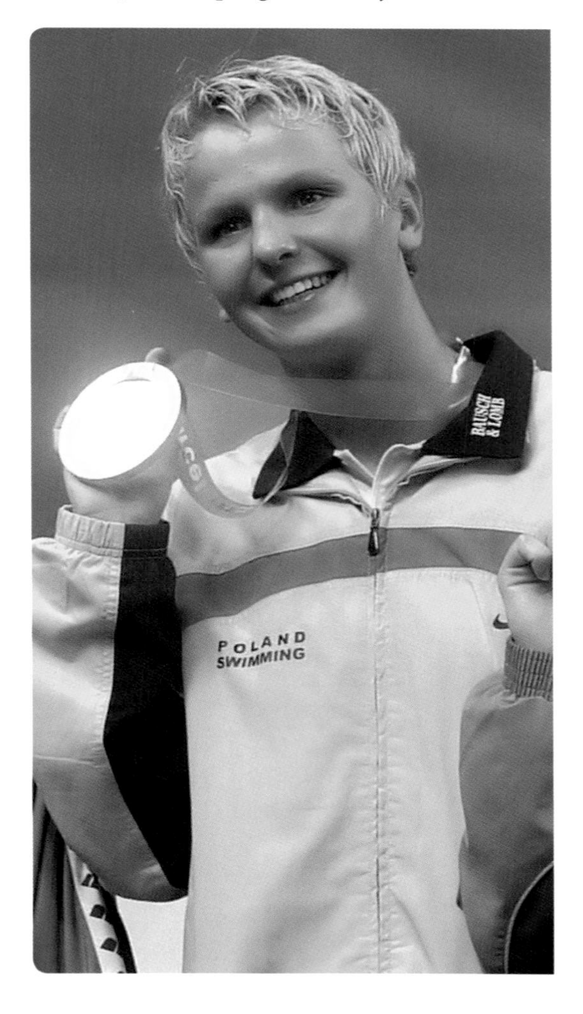

Otylia Jędrzejczak: pokazać dzieciom, że sport to pomysł na życie

Celem fundacji mistrzyni olimpijskiej Otylii Jędrzejczak jest nie tylko wyszukiwanie talentów pływackich, ale pokazanie, że sport to kapitał na całe życie.

Złota i srebrna medalistka igrzysk w Atenach (trzy medale), która ma też osiem medali mistrzostw świata i piętnaście Europy, chce poprzez fundację realizować swoje marzenia i pomóc dzieciom w sportowej pasji.

„Od trzech lat prowadzę letnie kursy pływackie, pracuję z dziećmi, ale to dla mnie za mało. Potrzebne są długoletnie projekty dla większej grupy dzieci, młodzieży, rodziców i trenerów – sport to coś, w co warto inwestować, kapitał na całe życie. Fundacja to realizacja moich marzeń" – powiedziała PAP Jędrzejczak.

Jesienią rozpocznie ona pierwszy z projektów fundacji – *Otylia Swim-Tour*. „Projekt jest dla dzieci, rodziców i trenerów. Zajęcia będą w 4 miastach, do których przyjedziemy autobusem fundacji. Będą to treningi pływackie, rozmowy rodziców z dietetykiem i psychologiem sportu" – mówi Otylia Jędrzejczak.

Na podstawie: Gazeta.pl, Olga Miriam Przybyłowicz
http://wiadomosci.gazeta.pl/wiadomosci/1,114877,18516491,otylia-jedrzejczak-pokazac-dzieciakom-ze-sport-to-pomysl-na.html

9b **Proszę porozmawiać z kolegą / koleżanką.**

a) Co myślisz o fundacji Otylii Jędrzejczak?
b) Czy dzieci lubią uprawiać sport? Jakie dyscypliny i dlaczego?
c) Jakie znasz nazwiska polskich sportowców?
d) Kto jest najbardziej znanym sportowcem w twoim kraju?
e) Jaki powinien być idealny sportowiec – tylko wysportowany?
f) Czy sport 100 lat temu był taki sam, jak jest teraz?

CD 109
DVD 25

10 **Proszę obejrzeć film lub wysłuchać nagrania *Na pływalni*, a następnie zdecydować, czy to prawda (P), czy nieprawda (N).**

a) Organizowane są kursy dla dzieci i dorosłych. (P) / N
b) Zajęcia są raz w tygodniu, w niedziele. P / N
c) Kurs trwa 40 godzin i kosztuje 200 zł. P / N
d) Nowy kurs zaczyna się we wtorek. P / N
e) Krystyna podaje telefon komórkowy. P / N
f) Może zapłacić po pierwszych zajęciach. P / N

11a **Proszę przeczytać poniższe ogłoszenia. Dzwoni Pan / Pani do jednego z tych miejsc. O co może Pan / Pani zapytać? Proszę z kolegą / koleżanką ułożyć listę pytań.**

Fundacja Podnoszenia
Stanu Zdrowia Studentów
KRYTE i OTWARTE KORTY TENISOWE
SQUASH
Możliwość wypożyczenia sprzętu
Al. Rakietkowa 37, tel. 12 446-90-46
Zniżki dla studentów

Międzyszkolny Basen Pływacki
Kursy pływania dla początkujących
Kursy dla niemowląt
Aqua aerobic
Doświadczeni instruktorzy
Grochowska 20
tel. 22 411 92 95
siedem dni w tygodniu

Dżokej
Stadnina koni
Ośrodek Jazdy Konnej
Zajęcia dla dzieci
ul. Hippika 88,
tel. 602-090-176

WYSOKOGÓRSKI KLUB SPORTOWY
Kursy wspinaczkowe, wycieczki w góry z przewodnikiem
pl. Stromy 34, pon. – pt. 10 – 20
Zapraszamy także osoby starsze i dzieci

Doping CENTRUM SPORTU
Sklep firmowy, serwis
i wypożyczalnia narciarska
NARTY, ŻEGLARSTWO, WINDSURFING, ALPINIZM, BILARD, FITNESS, TURYSTYKA, ODZIEŻ SPORTOWA
ul. Sportowa 15,
czynne 10 – 18, sob. 10 – 15

11b **Przeczytał Pan / przeczytała Pani jeden z anonsów z ćwiczenia 11a i dzwoni z pytaniem o informację. Proszę z kolegą / koleżanką przygotować dialog, a następnie przedstawić go na forum grupy.**

Wyrażenia:
- *Chciałbym / chciałabym się dowiedzieć, ...*
- *Chciałbym / chciałabym zapytać, ...*
- *Proszę mi powiedzieć, ...*
- *Czy może mi pan / pani powiedzieć, ...*

- *czy ..... / ile ..... / kiedy ..... / jaki ..... / jak długo .....*
- *od kiedy / do kiedy*

CD 110

12 **Proszę posłuchać wiadomości sportowych, a następnie zaznaczyć, o których drużynach jest mowa.**

- ☐ Górnik Zabrze
- ☐ Bayern Monachium
- ☐ Sparta Praga
- ☐ Legia Warszawa
- ☐ Wisła Kraków
- ☐ AS Roma
- ☐ Ruch Chorzów
- ☐ Manchester United

I Proszę przeczytać tekst, a następnie odpowiedzieć na pytania.

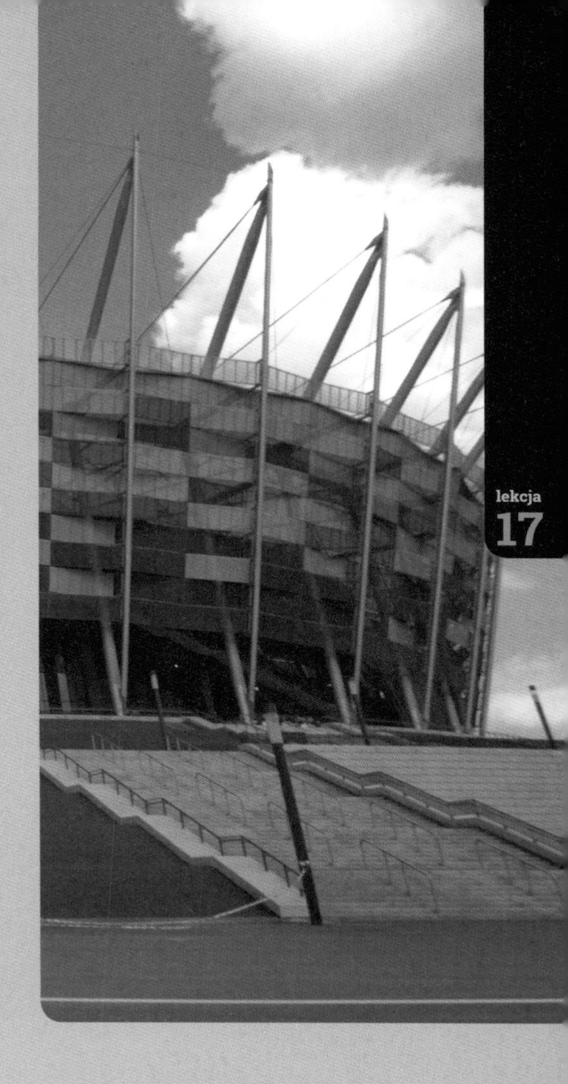

Stadion Narodowy w Warszawie – największy stadion sportowy w Polsce, wybudowany w latach 2008–2011 przed Mistrzostwami Europy UEFA Euro 2012 i oficjalnie otwarty 29 stycznia 2012 roku. Ma czwartą (najwyższą) kategorię w klasyfikacji UEFA. Ma 58 500 miejsc.

Na stadionie można organizować nie tylko mecze piłki nożnej, futbolu amerykańskiego, ale też koncerty muzyczne, imprezy kulturalne i lodowisko. Stadion ma największe centrum konferencyjne w Warszawie – dla 1600 osób, a jego tereny biurowe i handlowe to 25 000 m^2 (metrów kwadratowych). Na parkingu może parkować około 1800 samochodów.

Stadion Narodowy pełni także funkcje biurowe, handlowe, hotelowe, gastronomiczne. Na stadionie znajduje się 900 miejsc dla dziennikarzy, 4 restauracje, 50 barów fast food, fitness klub, fun pub i 965 toalet. Codziennie na jego terenie pracuje około 2–3 tysiące osób.

Architektura obiektu: fasada stadionu jest w kolorach srebrnym i czerwonym, przypomina biało-czerwoną flagę. Biało-czerwone są też krzesła na stadionie. Najwyższy punkt dachu ma wysokość 70 metrów.

Na stadionie grali i śpiewali: Beyoncé, Depeche Mode, Rihanna, Florence and the Machine i Metallica.

Na podstawie: https://pl.wikipedia.org/wiki/Stadion_Narodowy_w_Warszawie

a) Gdzie jest Stadion Narodowy?
b) Ile jest miejsc dla kibiców na stadionie?
c) Czy stadion ma tylko funkcje sportowe?
d) Jakie imprezy są organizowane na stadionie?
e) Gdzie na stadionie można zjeść?
f) Jakie kolory ma stadion?

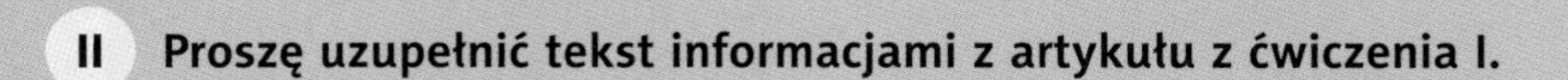

II Proszę uzupełnić tekst informacjami z artykułu z ćwiczenia I.

Dzień dobry państwu! Zapraszam na wirtualny spacer po bardzo charakterystycznym obiekcie Warszawy – .... Narodowym. Mecze może oglądać około 60 000 .... Mamy piękną elewację w kolorach .... i ...., podobnych do kolorów naszej flagi. Na stadionie organizujemy mecze .... nożnej, ale też .... takich zespołów i wokalistów jak Rihanna, czy Florence and the Machine. Zimą na stadionie jest .... Dla turystów mamy 4 trasy: *piłkarza, ekskluzywną, historyczną, znani i lubiani.*
Centrum .... na stadionie ma 1600 miejsc i jest największe w Warszawie. Stadion jest otwarty codziennie i jest bardzo popularnym punktem zwiedzania Warszawy.

LEKCJA 18

SYTUACJE KOMUNIKACYJNE	rozmowa o uczeniu się i pamięci
SŁOWNICTWO	nauka • kursy • szkolenia • pamięć
GRAMATYKA I SKŁADNIA	czasowniki z różnymi przypadkami
MATERIAŁY AUTENTYCZNE	audycja radiowa • ogłoszenia • podanie o przyznanie stypendium • formularz oceny własnych kompetencji językowych

Czy lubisz uczyć się języka polskiego?

1 Jak Pan / Pani myśli, ile procent informacji zapominamy?

- Po godzinie zapominamy .... % informacji.
- Po ośmiu godzinach zapominamy .... % pozostałych informacji.
- Po jednym dniu zapominamy .... % informacji.
- Ale prawie zawsze pamiętamy atmosferę rozmowy i nasze emocje!

Rozwiązanie na końcu lekcji.

2 Proszę porozmawiać z kolegą / koleżanką na temat uczenia się.

Przykładowe pytania, które może Pan / Pani zadać:

1. Czego lubisz się uczyć, a czego nie?
2. Czy lubisz pracować w grupie? A może wolisz uczyć się indywidualnie? Dlaczego?
3. Czego lubiłeś / lubiłaś się uczyć w szkole podstawowej?
4. Jak się uczysz? Jakie są twoje techniki uczenia się? Lubisz metody tradycyjne, a może wolisz eksperymentować?
5. Czy znasz techniki szybkiego uczenia się, NLP, mind mapping albo inne niekonwencjonalne metody uczenia się?
6. Jak najefektywniej się uczysz:
   a) kiedy czytasz?
   b) kiedy słuchasz?
   c) kiedy głośno powtarzasz?
   d) kiedy coś robisz?
7. Czy łatwo uczysz się czegoś na pamięć? Czy masz dobrą pamięć? Czy masz pamięć do dat, nazwisk, twarzy?

SŁOWNICTWO

3a Jedną z technik uczenia się słownictwa jest mind mapping. Proszę dopasować słowa do odpowiednich kategorii.

pisać teksty intensywnie notować polskiego słuchać do testu matematyki na uniwersytecie na pamięć w szkole wolno

UCZYĆ SIĘ

co możemy robić?
powtarzać
robić ćwiczenia
analizować

czego?
francuskiego
geografii

do czego?
do egzaminu

jak?
szybko
efektywnie
w grupie
indywidualnie
regularnie
przez internet

gdzie?
na lekcji
na kursie
w domu

3b Czy ma Pan / Pani propozycję innych kategorii? Może Pan / Pani pracować z kolegą / koleżanką.

GRAMATYKA

4 Proszę wybrać słowo i wpisać je w odpowiedniej formie.

polski uniwersytet podstawowa test studiować✓ zapominać pamięć kurs

Przykład: Mariusz jest studentem – on *studiuje* historię.

1. Mariusz studiuje na ....
2. Uczymy się polskiego na .... językowym.
3. Ignatio uczy się do .... z ....
4. Muszę nauczyć się tych słów na ....
5. Mam słabą pamięć – często .... to, czego się nauczyłem.
6. Jędrek chodzi do szkoły .... – teraz jest w czwartej klasie.

5 Proszę pracować w grupie. Jak efektywnie uczyć się języka obcego? Proszę opisać lub wymyślić kilka metod. Proszę użyć słów: *trzeba, można, warto, nie wolno.*

6a Proszę posłuchać fragmentu audycji radiowej* i uzupełnić tekst.

CD 111

Jak funkcjonuje pamięć?

1 – **Naszym dzisiejszym gościem jest pan ..profesor.. [0] Marian Tarkowski. Panie profesorze, jest pan psychologiem praktykiem, prowadzi pan kursy .... [1] uczenia się i szybkiego czytania.**
5 **Proszę powiedzieć, jak funkcjonuje pamięć?**

– Są dwa typy pamięci. Mamy pamięć krótkotrwałą i trwałą. W pamięci krótkotrwałej magazynujemy informacje tylko na .... [2] minut. Ale jeśli jakaś informacja jest dla nas .... [3],
10 może przejść z pamięci krótkotrwałej do pamięci trwałej. Pamięć trwała magazynuje informacje przez .... [4]. Ważne jest, żeby często powtarzać te informacje.

– **Jak ćwiczyć naszą pamięć?**

15 – Trzeba uczyć się telefonów i adresów na .... [5]. Nie robić listy zakupów, ale na przykład zapamiętać, ile produktów musimy kupić. Można ciągle uczyć się czegoś nowego, na przykład .... [6], albo chodzić
20 na różne kursy czy szkolenia.

– **Co jest ważne, kiedy musimy się uczyć intensywnie, na przykład do .... [7]?**

– Na pewno atmosfera, w której się uczymy. .... [8] nie jest dobry w procesie uczenia
25 się. Ważny jest .... [9] relaks i odpoczynek.

– **Dziękuję bardzo za rozmowę.**

*Na podstawie *Zmagania z pamięcią*, „Focus"

6b Proszę zdecydować, czy te zdania są prawdziwe (P), czy nieprawdziwe (N).

1. Profesor Marian Tarkowski jest teoretykiem. P / N
2. Pamięć krótkotrwała jest typem pamięci trwałej. P / N
3. Pamięć trwała magazynuje informacje przez długi czas. P / N
4. Ćwiczymy pamięć, kiedy uczymy się na pamięć. P / N
5. Kiedy uczymy się do egzaminu, stres nie pomaga. P / N

SŁOWNICTWO

7a Proszę uzupełnić ogłoszenia właściwymi słowami.

medytacji językowe fotografii nauki kierowców poezji komputerowe wychodzić tańca mówisz

NAUKA – KURSY – SZKOLENIA

a
Dom Kultury zaprasza na
- warsztaty .... kreatywnej
- warsztaty poetyckie

w programie: spotkania z fotografami, poetami, prezentacja własnych prac, czytanie .... tel. 12 234 08 19 w. 12

b
Boisz się .... wieczorem?
Proponujemy kurs samoobrony
„BODYGUARD" – tel. 22 721 01 02

c
LINGUA SERVICE
kursy ....
intensywnie • efektywnie • małe grupy • wszystkie poziomy • wszystkie języki • bezpłatne konsultacje
informacje i zapisy
tel. 61 862 01 24

d
Zapraszamy na kursy
....
u nas poznasz aktualne oprogramowanie, internet, a także nauczysz się szybko pisać na komputerze
zajęcia prowadzą wykwalifikowani instruktorzy
zapisy i informacje
tel. 17 567 23 08

e
Nie masz jeszcze prawa jazdy?
Zapraszamy do nas
AUTOMOBIL
bezstresowe szkolenie ....
tel. 58 432 87 54

f
Szkoła Tańca TAKT
zaprasza dorosłych i dzieci na kurs ....
samba • rumba • flamenco
walc • tango • hip-hop • disco
tel. 71 544 26 19

g
Za rzadko .... „nie"?
Masz problemy z szefem?
Zapraszamy na kurs asertywności
CENTRUM PSYCHOEDUKACJI
tel. 42 254 09 11

h
- **uczysz się języków obcych?**
- **jesteś studentem?**
- **masz wkrótce egzamin?**

na intensywnym kursie szybkiej i efektywnej .... poznasz efektywne metody uczenia się, ciekawe techniki pamięciowe, nauczysz się pracować z podręcznikiem, planować naukę
HIPERMIND tel. 12 520 98 56

i
- Jesteś zestresowany?
- Za dużo pracujesz?
- Zapomniałeś już, co to jest urlop?

Zapraszamy na kurs ...., automasażu, biostymulacji i technik relaksacyjnych
Centrum „Tantra"
tel. 22 235 98 23
(proszę dzwonić rano)

7b Proszę wybrać 2 kursy, które Pana / Panią interesują. Dlaczego je Pan wybrał / Pani wybrała?

Wybrałem / Wybrałam kurs ..... ,
ponieważ interesuję się .....
ponieważ nie umiem jeszcze .....
ponieważ zawsze chciałem / chciałam się nauczyć .....

SŁOWNICTWO PODANIE

8a Poniżej znajdują się słowa i frazy, które występują w podaniu. Czy je Pan / Pani rozumie? Proszę połączyć je z definicjami lub synonimami. Może Pan / Pani pracować z kolegą / koleżanką lub użyć słownika.

b	0 Szanowni Państwo	a) proszę
	1 zwracam się z prośbą	b) Szanowny Panie / Szanowna Pani
	2 przyznanie stypendium	c) szansa nauki jakiegoś języka
	3 poznać język	d) dokumenty, które wysyłamy z listem
	4 zajmować się czymś	e) nauczyć się języka
	5 możliwość nauki języka	f) pracować nad czymś
	6 Z wyrazami szacunku	g) Z poważaniem
	7 Załączniki	h) list z rekomendacją np. od profesora albo dyrektora
	8 CV	i) życiorys – curriculum vitae
	9 list polecający	j) certyfikat językowy
	10 zaświadczenie znajomości języka	k) dostanie stypendium

8b Proszę przeczytać podanie o przyznanie stypendium i odpowiedzieć na pytania.

Jena, 01.05.2019

Damian Grop
Warschauerstraße 76
07750 Jena
Niemcy

Fundacja Współpracy
Międzynarodowej
al. Józefa Piłsudskiego 12
00-230 Warszawa

Szanowni Państwo,

zwracam się z uprzejmą prośbą o przyznanie mi stypendium naukowego. Jestem studentem trzeciego roku kulturoznawstwa ze specjalnością kultura europejska. W przyszłym roku chciałbym przyjechać na jeden semestr do Polski, żeby lepiej poznać język i kulturę polską. Uczę się języka polskiego od pół roku, ale wiem, że będę mógł lepiej poznać język, kraj i ludzi, kiedy będę mieszkać w Polsce. W przyszłości chciałbym zajmować się koordynowaniem projektów związanych z integracją i kulturą polską. Dlatego możliwość nauki języka polskiego, a także w przyszłości studiowania w Polsce, jest dla mnie bardzo ważna.

Z wyrazami szacunku
Damian Grop
Damian Grop

Załączniki:
1. CV
2. List polecający od profesora
3. Zaświadczenie znajomości języka polskiego

1. Co studiuje Damian? ....
2. Na którym roku studiów jest Damian? ....
3. Na jak długo chce przyjechać do Polski? ....
4. Dlaczego chce przyjechać do Polski? ....
5. Co chce robić w przyszłości? ....

8c Na podstawie ćwiczenia 8a proszę napisać podanie o przyznanie stypendium w Polsce.

Do wyboru: stypendium językowe, stypendium naukowe, stypendium artystyczne.

GRAMATYKA CZASOWNIK

9a Z jakim przypadkiem łączą się te czasowniki? Proszę uzupełnić tabele.

uczyć się / nauczyć się ✓ studiować interesować się znać pamiętać analizować / przeanalizować poznawać / poznać zajmować się / zająć się zapamiętywać / zapamiętać zapominać / zapomnieć powtarzać / powtórzyć wybierać / wybrać planować / zaplanować uczyć się / nauczyć się do chodzić na mieć pamięć do zapisywać się / zapisać się na zwracać się / zwrócić się z rozmawiać / porozmawiać o zwracać się / zwrócić się do mieszkać w

REKCJA CZASOWNIKA

dopełniacz *kogo? czego?*	biernik *kogo? co?*
uczyć się, nauczyć się	....
....	....
....	....
....	....
....	....
....	....
....	....
....	....
....	....
....	....
....	....
....	....

narzędnik *z kim? z czym?*	miejscownik *o kim? o czym?*
....	....
....	....
....	....
....	....
....	....
....	....
....	....
....	....
....	....
....	....

9b Proszę dopisać swoje przykłady czasowników do tabeli w ćw. 9a.

9c Proszę wybrać poprawną formę.

0. Interesuję się języka polskiego / <u>językiem polskim</u> / języku polskim.
1. Maksym i Anastazja studiują politologię / politologii / politologią w Polsce.
2. Lubię poznawać nowi ludzie / nowych ludzi / nowymi ludźmi.
3. Zajmujemy się projektami europejskimi / projektów europejskich / projektach europejskich.
4. Lubię uczyć się językami obcymi / języki obce / języków obcych.
5. Chodzę na kurs języka polskiego / język polski / językiem polskim.

– Nazywam się Wójcik.
E.
– Cześć Marta, co u ciebie słychać?
– U mnie? Nic nowego, a u ciebie?
– Też po staremu.
F.
– Dzień dobry pani, co u pani słychać?
– Dzień dobry, wszystko w porządku, a u pana?
– Dziękuję, u mnie też.

CD 12 **8a Proszę posłuchać nagrania i napisać liczebnik przy nazwie miasta.**

jeden – Gdańsk, dwa – Kraków, trzy – Warszawa, cztery – Szczecin, pięć – Poznań, sześć – Wrocław, siedem – Katowice, osiem – Łódź, dziewięć – Częstochowa, dziesięć – Zakopane

CD 13 **9b Proszę posłuchać, sprawdzić swoje odpowiedzi i policzyć, ile ma Pan / Pani punktów.**

Czy wiesz, skąd oni są?
0. Lech Wałęsa jest z Polski.
1. Roman Polański jest z Polski.
2. Michaił Gorbaczow jest z Rosji.
3. Pedro Almodóvar jest z Hiszpanii.
4. Agnieszka Holland jest z Polski.
5. Angela Merkel jest z Niemiec.
6. Jean-Paul Gaultier jest z Francji.
7. Meryl Streep jest z Ameryki.
8. David Beckham jest z Anglii.
9. Monica Bellucci jest z Włoch.
10. Kenzo Takada jest z Japonii.

CD 14 **12 Na stacji benzynowej. Prawda czy nieprawda?**

– **Dzień dobry.**
– Dzień dobry, trójka i fakturę poproszę.
– **Na firmę?**
– Nie, na mnie.
– **NIP?**
– Siedem, sześć, dwa, osiem, cztery, trzy, pięć, dziewięć, zero, jeden.
– **Kod pocztowy?**
– Trzy, jeden, cztery, jeden, zero, Kraków.
– **Ulica?**
– Nie ulica, tylko plac. Plac Słowackiego cztery przez dziesięć.
– **Nazwisko i imię?**
– Dobrzyńska Anna.
– **Numer rejestracyjny?**
– KR trzy, cztery, cztery, dziewięć, zero.
– **Proszę podpisać. Dziękuję bardzo.**
– Dziękuję. Do widzenia.

LEKCJA 2

2a Proszę obejrzeć film lub posłuchać nagrania i uzupełnić dialogi.
CD 15-18 DVD 4

1. Anna: Cześć. Jak się masz?
Bogusława: Dziękuję, dobrze. A ty?
Anna: Świetnie. Przepraszam, wiesz, kto to jest?
Bogusława: Nie wiesz?! To jest nowy profesor. Nazywa się Gonzales.
Anna: Czy on jest z Hiszpanii?
Bogusława: Nie, on ma hiszpańskie nazwisko, ale jest z Polski. Ma na imię Andrzej.
Anna: Aha!

2. Piotr: Cześć, Ewa! Jak się masz?
Ewa: Świetnie. A ty?
Piotr: Dziękuję, dobrze. Gdzie masz samochód?
Ewa: Nie mam. Jest w serwisie. A ty? Czy to jest twój samochód?
Piotr: Tak. Mam japoński samochód.
Ewa: Bardzo elegancki.
Piotr: Proszę...
Ewa: Dziękuję bardzo.
Piotr: Nie wiem, gdzie mieszkasz.
Ewa: Aleja Puławska. Wiesz, gdzie to jest?
Piotr: Puławska... Puławska... Nie wiem. W centrum?
Ewa: Tak.
Piotr: Aha, tak! Puławska jest w centrum. Tak!
3. Policjant: Jak się pan nazywa?
Dirk: Dirk Gärtner.
Policjant: Skąd pan jest?
Dirk: Z Niemiec.
Policjant: Gdzie pan mieszka?
Dirk: Nie rozumiem. Proszę powtórzyć.
Policjant: Czy mieszka pan w Krakowie?
Dirk: Przepraszam, nie rozumiem. Proszę mówić wolniej.
Policjant: Gdzie pan mieszka? Jaki pan ma adres w Krakowie?
Dirk: Aha, rozumiem. Mieszkam w Hotelu Francuskim.
4. Studentka: Przepraszam bardzo, gdzie jest literatura francuska?
Bibliotekarka: Tam.
Studentka: Dziękuję bardzo.
Bibliotekarka: Proszę.

CD 19 **12a Gdzie oni mieszkają? Proszę posłuchać nagrania i uzupełnić adresy.**

- Proszę powiedzieć, jak się państwo nazywają i gdzie państwo mieszkają?
- Nazywam się Agnieszka Walczewska. Gdzie mieszkam? W centrum. Ulica Armii Krajowej 20/17.
- Mam na imię Maciej, na nazwisko Korbielski. Mój adres: aleja Warszawska 9/19.
- Izabela Budzyńska, plac Kazimierza Wielkiego 12/13.
- Zbigniew Bugajski, osiedle Mickiewicza 16/10.

LEKCJA 3

CD 20 **1a Proszę posłuchać i zdecydować, kto to mówi.**

– Jestem Yoko. Jestem Japonką i mówię po japońsku. Znam też język angielski.
– Mam na imię Andreas. Jestem Niemcem i mówię po niemiecku. To jest Eva. Ona też jest z Niemiec. Ona mówi po niemiecku i po hiszpańsku. Zna też trochę polski.
– Nazywam się Blanche Dubois. Jestem Francuzką. Jestem z Francji i mówię po francusku. Znam też włoski.
– Jestem Janek. Jestem z Polski. Jestem Polakiem. Mówię po polsku i po angielsku. Znam też trochę język rosyjski. To jest Władimir. On jest Rosjaninem. Mówi po rosyjsku i po polsku.
– Mam na imię Roberto. Jestem Włochem. To jest Sophie. Ona też jest z Włoch. Mówimy po włosku. Sophie zna też francuski. Ja nie mówię po francusku, ale znam niemiecki.

CD 21 **3b Proszę posłuchać, sprawdzić swoje odpowiedzi i policzyć, ile ma Pan / Pani punktów.**

Czy wiesz, kim oni są?
0. Krystyna Janda jest polską aktorką.
1. Catherine Deneuve jest francuską aktorką.
2. David Cameron jest angielskim politykiem.
3. Bob Dylan jest amerykańskim artystą.
4. Monica Bellucci jest włoską aktorką.
5. Katarzyna Kozyra jest polską artystką.
6. Philipp Lahm jest niemieckim sportowcem.

7. Brad Pitt jest amerykańskim aktorem.
8. Robert Lewandowski jest polskim sportowcem.
9. Pedro Almodóvar jest hiszpańskim reżyserem.
10. Jerzy Skolimowski jest polskim reżyserem.

8a Proszę obejrzeć film z ankietą uliczną i zdecydować, kim są te osoby.

Dziennikarka: Kim pan / pani jest z zawodu?
Przykład: Marek: Z zawodu? Jeszcze nie pracuję. Jestem studentem. Studiuję ekonomię w Krakowie.

1. Andrzej: Jestem informatykiem i biznesmenem. Mam firmę komputerową w Warszawie. Pracuję bardzo dużo.
2. Aleksandra: Teraz nie pracuję. Jestem bezrobotna.
3. Joanna: Jestem lekarką. Pracuję w szpitalu.
4. Melanie: Jestem nauczycielką. Jestem z Niemiec i uczę języka niemieckiego. Pracuję w szkole językowej. Dzisiaj moja grupa ma test!
5. Mateusz: Jestem architektem. Projektuję domy.
6. Pan Stefan: Jestem emerytem – już nie pracuję, ale z zawodu jestem inżynierem.
7. Paweł: Jestem fotografem. Mam studio fotograficzne.

8b Proszę obejrzeć film i napisać, kim oni są z zawodu.

1. Renata: Z zawodu jestem dentystką. Pracuję w klinice dentystycznej.
2. Robert: Jestem rolnikiem. Mieszkam i pracuję na wsi.
3. Aneta: Kim jestem z zawodu? Dziennikarką – piszę artykuły i felietony do gazety.
4. Dariusz: Jestem dentystą. Mam prywatny gabinet dentystyczny.
5. Agnieszka: Jestem jeszcze studentką. Bardzo interesuję się muzyką jazzową, studiuję na Akademii Muzycznej w Gdańsku.
6. Bożena: Jestem kelnerką. Pracuję w restauracji.
7. Witold: To mój samochód. Jestem kierowcą.

9a Proszę posłuchać fragmentu teleturnieju *Szansa na milion* i uzupełnić informacje o kandydatach.

– Dobry wieczór, witamy w naszym teleturnieju *Szansa na milion*. Dzisiejsi kandydaci to: pan Wojciech Brzeziński, pani Marta Kaliszewska, pani Krystyna Wesoła, co za optymistyczne nazwisko! I pan Andrzej Kowalski. Zanim zaczniemy, proszę się nam krótko przedstawić. Kim państwo są, skąd do nas przyjechali, co robią i czym się interesują. Proszę bardzo, panie Wojtku.

– Nazywam się Wojciech Brzeziński, jestem studentem. Od dzisiaj już na czwartym roku – wczoraj miałem ostatni egzamin. Co studiuję? Politologię w Warszawie. Tam też mieszkam. I co jeszcze? Aha, czym się interesuję. Historią i polityką.

– Dobry wieczór państwu, nazywam się Marta Kaliszewska. Jestem emerytką i mieszkam w Krakowie. Teraz mam dużo czasu, bo już nie pracuję. Interesuję się muzyką, polską muzyką i naszym polskim folklorem. Należę do koła folklorystycznego. Zawsze raz w tygodniu spotykamy się, śpiewamy albo tańczymy.

– Witam państwa, Krystyna Wesoła, urzędniczka. Mieszkam i pracuję w Gdańsku, w Urzędzie Miasta, interesuję się polityką, aktualnymi... jakimiś politycznymi... sprawami, no krótko mówiąc, aktualnościami politycznymi z Polski czy z Europy w ogóle.

– Nazywam się Andrzej Kowalski. Teraz jestem bezrobotny. Co robię? Oczywiście szukam pracy, no i dzisiaj jest też moja „szansa na milion". Mieszkam w Poznaniu i teraz intensywnie uczę się niemieckiego, żeby jakoś ten wolny czas zapełnić. Poza tym bardzo interesuję się sportem.

LEKCJA 4

1d Co mówi lektor? Proszę posłuchać nagrania dwa razy, a następnie przeczytać na głos poprawne odpowiedzi.

dwadzieścia pięć, trzydzieści cztery, sześćdziesiąt, dziewięćdziesiąt dziewięć, piętnaście, czterdzieści, osiemdziesiąt, sto pięćdziesiąt pięć, sto siedemnaście, dziesięć

1e Proszę posłuchać nagrania i uzupełnić, jaka to liczba. Proszę przeczytać na głos poprawne odpowiedzi.

trzydzieści, dwadzieścia, pięćdziesiąt, dziewięćdziesiąt, piętnaście, czterdzieści, dwanaście, sześćdziesiąt, siedemdziesiąt, siedemnaście

4a Proszę:
– posłuchać,
– powtórzyć,
– uzupełnić rysunek.

moja babcia, mój dziadek, dziadkowie / moja matka, mój ojciec, rodzice / moja siostra, mój brat, rodzeństwo / moja córka, mój syn, dzieci / żona, mąż, małżeństwo

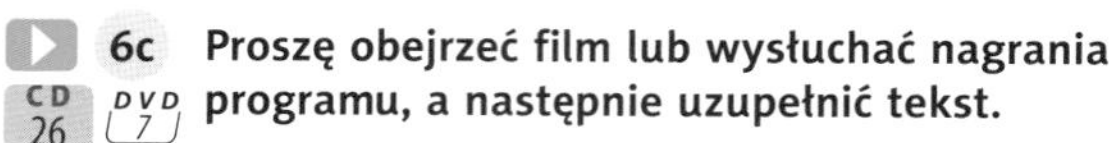

6c Proszę obejrzeć film lub wysłuchać nagrania programu, a następnie uzupełnić tekst.

– Dzień dobry państwu. Dzisiaj nasi goście to rodzina Wiśniewskich. Bardzo proszę się przedstawić.
– Dzień dobry. Jestem Jan, mam 31 lat, jestem inżynierem. To jest moja matka, Zofia. Jest nauczycielką. Jej mąż, a mój ojciec, ma na imię Konrad. Jest lekarzem. To jest moja siostra, Ania, studentka prawa.

7 Proszę posłuchać nagrania dwa razy i napisać:
a) jak mają na imię te osoby,
b) zaznaczyć poprawną odpowiedź a, b lub c.

- Pani Kinga jest sekretarką. Ma męża i małego synka. Oni mają nowy samochód i duży japoński telewizor.
- Michał studiuje chemię. Bardzo lubi się uczyć i ma w domu dużo książek. Ma też młodszego brata.
- Pan Leszek jest inżynierem. Ma psa i kota. Ma też fortepian, bo bardzo lubi muzykę.
- Pani Ela ma dużą rodzinę – męża, dzieci, matkę, ojca, siostrę, brata. Ich dzieci mają dzieci...
- Pan Robert jest fotografem. Ma studio fotograficzne i profesjonalny komputer.

LEKCJA 5

4 Proszę posłuchać nagrania i napisać:
a) ile lat mają te osoby,
b) czy informacje 1 – 4 są prawdziwe (P), czy nieprawdziwe (N).

A. Nazywam się Joanna Klimek. Jestem Polką, ale teraz mieszkam we Francji. Mam 33 lata. Jestem dziennikarką. Interesuję się polityką europejską, ekonomią i teatrem. Lubię robić zdjęcia i grać w tenisa. Często też czytam książki.

B. Józef Buła. Jestem emerytem, mam 65 lat. Teraz mieszkam w Gdańsku. Moje hobby to sport – lubię pływać. Od czasu do czasu spotykam się z kolegami i gramy w karty. Lubię też czytać gazety, oglądać telewizję i dyskutować o polityce.

C. Jestem Jacek, jestem bratem Joanny, studiuję anglistykę w Krakowie. Mam 25 lat. Interesuję się literaturą angielską i muzyką rockową. Jestem raczej aktywny – rzadko siedzę w domu. Lubię na przykład tańczyć, jeździć na rowerze i podróżować.

D. Mam na imię Magda, jestem wnuczką Józefa, jestem uczennicą. Mam 18 lat i chodzę do liceum. Bardzo lubię muzykę – często chodzę na dyskotekę albo na koncert. Lubię też komputery – po maturze chcę studiować informatykę.

CD 32-33 **6 Proszę posłuchać nagrania i napisać, w jakiej kolejności słyszał Pan / słyszała Pani te słowa.**

a) jeden – historia, dwa – geografia, trzy – galeria, cztery – chemia, pięć – psychologia, sześć – filozofia, siedem – socjologia, osiem – geologia, dziewięć – ekonomia, dziesięć – biologia

b) jeden – matematyka, dwa – polityka, trzy – informatyka, cztery – fizyka, pięć – muzyka, sześć – statystyka, siedem – anglistyka, osiem – botanika, dziewięć – polonistyka, dziesięć – gramatyka

CD 34-39 **15a Proszę posłuchać rozmów telefonicznych i zdecydować, dokąd dzwonią Jacek, Joanna, Magda i pan Józef.**

1. Jacek
– Dzień dobry. Państwo organizują przegląd filmów Krzysztofa Kieślowskiego, prawda?
– Tak, to prawda.
– Ile kosztuje bilet na dzisiejszy film?
– 15 złotych.
– Czy mogę zarezerwować miejsca?
– Tak. Ile?
– Proszę 2.
– Na jakie nazwisko?
– Klimek. Jacek Klimek.

2. Jacek
– Dzień dobry, czy to Centrum Sportu?
– Nie. To pomyłka.
– A czy to jest numer 5-6-4-7-8-9-0?
– Nie, no przecież mówię, że to pomyłka.
– Bardzo przepraszam.

3. Joanna
– Słucham.
– Dzień dobry. Przepraszam, czy mają państwo już nową książkę Jerzego Pilcha?
– Tak. Już jest.
– A ile kosztuje?
– 32 złote.
– Dziękuję bardzo.

4. Joanna
– Słucham.
– Dzień dobry, czy są jeszcze wolne miejsca na dzisiejszy spektakl?
– Tak.
– Bardzo proszę zarezerwować dwa miejsca. Nazywam się Joanna Klimek. Ile kosztuje jeden bilet?
– Proszę bardzo. Bilet kosztuje 26 złotych.

5. Magda
– Dzień dobry, ile kosztuje nowa płyta Grzegorza Turnaua?
– 49 złotych i 99 groszy.
– Dziękuję. Do widzenia.

6. Pan Józef
– Słucham.
– Przepraszam, ile kosztuje jeden bilet?
– Zwykły czy ulgowy?
– No nie wiem, jestem emerytem.
– O, niestety, bilety ulgowe są tylko dla studentów i uczniów. Bilet normalny kosztuje 10 złotych, a pływamy 45 minut.
– Dziękuję bardzo.

CD 34-39 **15b Proszę posłuchać rozmów telefonicznych jeszcze raz i uzupełnić zdania.**

Czy już to umiesz?

DVD 8 **I Proszę obejrzeć film i uzupełnić teksty.**

A. Nazywam się Joanna Klimek. Jestem Polką, ale teraz mieszkam we Francji. Mam 33 lata. Jestem dziennikarką. Interesuję się polityką europejską, ekonomią i teatrem. Lubię robić zdjęcia i grać w tenisa. Często też czytam książki.

B. Józef Buła. Jestem emerytem, mam 65 lat. Teraz mieszkam w Gdańsku. Moje hobby to sport – lubię pływać. Od czasu do czasu spotykam się z kolegami i gramy w karty. Lubię też czytać gazety, oglądać telewizję i dyskutować o polityce.

C. Jestem Jacek, jestem bratem Joanny, studiuję anglistykę w Krakowie. Mam 25 lat. Interesuję się literaturą angielską i muzyką rockową. Jestem raczej aktywny – rzadko siedzę w domu. Lubię na przykład tańczyć, jeździć na rowerze i podróżować.

D. Mam na imię Magda, jestem wnuczką Józefa, jestem uczennicą. Mam 18 lat i chodzę do liceum. Bardzo lubię muzykę – często chodzę na dyskotekę albo na koncert. Lubię też komputery – po maturze chcę studiować informatykę.

CD 40 **1b Proszę posłuchać nagrania, a następnie przeczytać na głos te słowa.**

Jedzenie i napoje:
chleb – bułka – masło – jajko – dżem – miód – kiełbasa – szynka – ser biały – ser żółty – mleko – płatki śniadaniowe – herbata – kawa – cukier – pieprz – sól

Karta:
zupa – mięso – kurczak – ryba – ziemniaki – ryż – makaron – frytki – sałatka – lody – ciasto – woda mineralna – sok – wino – piwo

Owoce:
banan / banany – jabłko / jabłka – gruszka / gruszki – pomarańcza / pomarańcze – winogrono / winogrona – cytryna / cytryny

Warzywa:
kapusta – pomidor / pomidory – ogórek / ogórki – ziemniak / ziemniaki – sałata – papryka – marchewka – cebula

CD 41 **4d Co mówi lektor?**

pięćset dwadzieścia – trzysta czterdzieści – sześćset – sto dziewiętnaście – czterysta trzydzieści – dziewięćset dziewięćdziesiąt – siedemset dwa – dwieście dwadzieścia – osiemset dwadzieścia – dziewięćset pięćdziesiąt sześć

 CD 42-43 DVD 9-10 **6c Proszę obejrzeć dwa filmy lub wysłuchać nagrania dwóch dialogów, a następnie zaznaczyć w karcie, które produkty z karty kawiarni „Filiżanka" klienci zamawiają.**

a) Kelner: Dzień dobry. Co dla pana?
Klient: Proszę herbatę i tort owocowy.
Kelner: Proszę bardzo. Czy coś jeszcze?
Klient: Nie, dziękuję.

b) Kelnerka: Dobry wieczór. Co dla pani?
Klientka: Proszę wodę mineralną.
Kelnerka: Gazowaną czy niegazowaną?
Klientka: Niegazowaną.
Kelnerka: Proszę. Czy coś jeszcze?
Klientka: Tak, proszę lody waniliowe.
Kelnerka: Niestety, nie ma lodów.
Klientka: To dziękuję. Tylko wodę proszę.

CD 44 DVD 11 **7d Proszę obejrzeć film lub wysłuchać nagrania *W restauracji*, a następnie zaznaczyć, który rachunek jest właściwy.**

Kelner: Dobry wieczór. Proszę kartę.
Klientka: Dziękuję.
Klient: Dziękuję.
Kelner: Może coś do picia?
Klientka: Tak, proszę małe piwo.
Klient: Dla mnie duże poproszę.
Kelner: Oczywiście.
Kelner: Bardzo proszę, małe piwo dla pani.
Klientka: Dziękuję.
Kelner: I duże dla pana. Mogę przyjąć zamówienie?
Klientka: Tak, poproszę zupę pomidorową, pierogi ruskie i herbatę czarną, z cytryną.
Kelner: Przepraszam, ale nie ma dziś zupy pomidorowej. Mogę polecić bardzo smaczny żurek.
Klientka: Dobrze, wezmę żurek. Dziękuję.
Klient: A dla mnie też żurek i gołąbki z sosem pomidorowym. Mam pytanie: gołąbki są z ziemniakami czy z chlebem?
Kelner: Z chlebem.
Klient. Dobrze, to poproszę. To wszystko.
Kelner: Dziękuję.
Po chwili
Klient: Przepraszam! Proszę rachunek.
Kelner: Oczywiście. Płacą państwo kartą czy gotówką?
Klient: Gotówką.
Kelner: Proszę.
Klient: Dziękuję, reszta dla pana.
Kelner: Dziękuję.

 CD 45 **8 Proszę posłuchać nagrania, a następnie na głos przeczytać wyrażenia:**

Lubię pizzę. – Piję kawę. – Jem kolację. – Proszę. – Dziękuję.
kotlet – frytki – kartofle – szynka – sznycel
tuńczyk – dżem – kolacja – restauracja – lekcja
czy – coś – jeszcze
sześć – cześć
trzy – trzydzieści – trzysta
cztery – czterdzieści – czterysta

 CD 46 **10b Proszę posłuchać dialogów z ćwiczenia 10a, a następnie z kolegą / koleżanką przeczytać je na głos.**

1) – Smacznego!
– Dziękuję, nawzajem.
2) – Czy można tu palić?
– Nie, tu nie wolno palić.
3) – Czy jest wolny stolik na cztery osoby?
– Tak, proszę na prawo.
4) – Przepraszam, gdzie jest toaleta?
– Tam. Na lewo.
5) – Mogę prosić sól?
– Tak, proszę bardzo.
6) – Płaci pan kartą czy gotówką?
– Gotówką.
7) – Jesteś głodny?
– Tak, bardzo chce mi się jeść i pić.

LEKCJA 7

 DVD 12 **2a Proszę obejrzeć film, porozmawiać z kolegą / koleżanką i opisać dzień Ani.**

Ania budzi się i wstaje, myje zęby i bierze prysznic. Robi i je śniadanie. Potem ubiera się i robi makijaż. Jedzie tramwajem do pracy. Pracuje, pracuje, pracuje, pracuje: pisze i czyta maile i rozmawia przez telefon. Robi krótką przerwę – je szybko mały obiad, a potem znów pracuje. Robi zakupy i wraca do domu. W domu dzwoni do przyjaciółki i rozmawia z nią godzinę. Wieczorem spotyka się z Andrzejem i idą razem do kawiarni, tam spotykają przyjaciół ze studiów i spontanicznie idą z nimi na dyskotekę. Na dyskotece Ania tańczy i rozmawia z przyjaciółmi. Potem jedzie taksówką do domu. Jest bardzo zmęczona, bierze prysznic i idzie spać.

CD 47 **5a 5c Ania rozmawia z Andrzejem przez telefon. Proszę posłuchać dialogu i uzupełnić tabelę.**

Ania: Słucham.
Andrzej: Cześć, mówi Andrzej, co u ciebie?
Ania: Jestem bardzo zmęczona.
Andrzej: Dlaczego?
Ania: Trochę za dużo pracuję. Na przykład w poniedziałek jadę do Warszawy, we wtorek uczę się do egzaminu...
Andrzej: Do egzaminu? Z czego?
Ania: Jak to..., nie wiesz? A tak, ty nie wiesz, że chodzę na kurs francuskiego. W środę mam ostatnią lekcję.
Andrzej: A kiedy masz egzamin?
Ania: W czwartek.
Andrzej: Dla ciebie to nie problem, mówisz świetnie po francusku.
Ania: Tak, mówić umiem... Ale wiesz, że mam problemy z gramatyką. A ty, co robisz w tym tygodniu?
Andrzej: W poniedziałek spotykam się z kolegą ze studiów, na wtorek nie mam konkretnego planu, w środę pracuję po południu. W czwartek wieczorem idę z Tomkiem na basen..., a właśnie à propos Tomka. Idziemy w piątek na dyskotekę. Idziesz z nami? Idą też Wojtek i Beata...
Ania: W piątek to niemożliwe.
Andrzej: Dlaczego nie?
Ania: Bo w sobotę rano jadę do Poznania, a poza tym w piątek wieczorem spotykam się z babcią.
Andrzej: No nie, w piątek wieczorem z babcią, w sobotę rano pracujesz, no nie... ta twoja praca. Zawsze gdzieś jeździsz i jeździsz. Do Warszawy, do Poznania, nie wiem dokąd jeszcze... Nie rozumiem.
Ania: No wiesz, dlaczego jesteś taki niemiły? Moja babcia ma w piątek urodziny, a ta praca jest dla mnie ważna.
Andrzej: No dobrze, przepraszam, ale wiesz, że bardzo lubię chodzić z tobą na dyskotekę, bo świetnie tańczysz. A masz już plany na niedzielę? Masz czas?
Ania: Nie mam jeszcze planów.
Andrzej: Jadę ze znajomymi do Zakopanego. Jedziesz z nami?
Ania: A czym jedziecie? Pociągiem czy autobusem?
Andrzej: Pociągiem to bez sensu, jedziemy albo autobusem, albo samochodem. Jeszcze nie wiemy, ale jedziemy bardzo wcześnie rano, przed siódmą. To co..., jedziesz z nami?

CD 48 **8b Proszę posłuchać dialogu i uzupełnić program kin.**

K: Dzień dobry. Przepraszam, mam tu Państwa ulotkę reklamową cyklu filmowego „Dobre Polskie Kino", ale nie mam niestety ze sobą okularów, a te literki takie małe. Czy może mi Pan pomóc? Chciałabym się dowiedzieć, o której godzinie są seanse?
M: Ten festiwal trwa cały tydzień. Mam przeczytać wszystko?
K: Jakby Pan mógł. Dziękuję Panu bardzo. Filmy są z angielskimi napisami, prawda? Dziewczyna mojego syna pochodzi ze Szkocji, nie zna jeszcze dobrze polskiego.
M: Tak, wszystkie filmy są z angielskimi napisami. Prezentacje filmów odbywają się w naszych kinach: Kinoteka, Kino Letnie i Klubokawiarnia Filmowa Klatka. Kinoteka prezentuje od poniedziałku do środy filmy Andrzeja Wajdy: „Człowiek z marmuru" godzina czternasta, „Człowiek z żelaza" godzina siedemnasta i „Wałęsa. Człowiek z Nadziei" godzina dwudziesta. Od czwartku do soboty mamy pokazy filmów Krzysztofa Kieślowskiego. „Amator" godzina szesnasta trzydzieści, „Przypadek" godzina osiemnasta trzydzieści i „Podwójne życie Weroniki" godzina dwudziesta pierwsza trzydzieści.
K: A w niedzielę? Czy w niedzielę też można zobaczyć jakiś film w Kinotece?
M: W niedzielę to kino jest nieczynne.
K: Nieczynne? Szkoda, a kino letnie?
M: Kino letnie od poniedziałku do niedzieli prezentuje filmy Agnieszki Holland.
K: Świetnie, lubię bardzo tę reżyserkę. A jakie filmy?
M: „Europa, Europa" godzina osiemnasta piętnaście, „W ciemności" godzina dwudziesta trzydzieści i „Pokot" godzina dwudziesta trzecia piętnaście.
K: Dwudziesta trzecia piętnaście? Naprawdę? Tak późno?
M: Tak, ale jeśli Państwo chcą wcześniej zobaczyć jakieś filmy, to w ramach cyklu filmowego „Nowe Polskie Kino" Klubokawiarnia Filmowa KLaTKA, oprócz wieczornych pokazów, ma też program przedpołudniowy. A po filmach przewidziana jest dyskusja po angielsku. Seanse są od poniedziałku do niedzieli, godzina dziesiąta piętnaście, dwunasta trzydzieści i dziewiętnasta piętnaście.
K: Dziękuję Panu bardzo. Chyba pójdziemy na jakiś film Andrzeja Wajdy albo Agnieszki Holland. Bardzo lubię tych reżyserów. Chociaż, późno te filmy w kinie letnim. Może jednak to „Nowe Polskie Kino"? To może być ciekawe. Porozmawiam z synem. Dziękuję Panu bardzo.

CD 49-52 **9a Proszę posłuchać nagrania i zdecydować, jaka jest prawidłowa kolejność dialogów.**

W kawiarni
Wojtek: O cześć, Jacek! Przepraszam cię, wiesz, która jest godzina?
Jacek: Piętnasta piętnaście.
Wojtek: Tak??? Już tak późno? Marta jest oczywiście znów niepunktualna. Czekam tu już pół godziny.
Jacek: O, to chyba idzie Marta...
Wojtek: No, jesteś nareszcie!
Marta: Przepraszam cię bardzo.

Na dworcu kolejowym
Pan X: Przepraszam pana bardzo, która jest godzina?
Pan Y: Zaraz, chwileczkę, jest dokładnie pierwsza.
Pan X: Na pewno?! Za sześć minut mam pociąg do Warszawy.
Pan Y: Ma pan mało czasu!

Na ulicy
Mężczyzna: Przepraszam panią, która jest teraz godzina?
Kobieta: Oj, nie wiem, niestety nie mam zegarka.

W kasie na dworcu autobusowym
Tomek: Przepraszam, o której godzinie jest autobus do Zakopanego?
Kasjer: Rano, przed południem, po południu czy wieczorem?
Tomek: Rano i przed południem.
Kasjer: Autobusy do Zakopanego... Rano: godzina szósta, szósta dwadzieścia, siódma, ósma pięćdziesiąt, dziesiąta siedem...
Tomek: Przepraszam, mówi pan za szybko, bardzo proszę mi to napisać...

CD 53 **5 Proszę posłuchać nagrania *Andrzej mówi o sobie*, a następnie zdecydować, czy to prawda (P), czy nieprawda (N):**

– Jestem inżynierem w dużej zagranicznej firmie. Pracuję osiem godzin dziennie: zaczynam pracę o ósmej, a kończę o piątej. Mam godzinną przerwę na lunch – od pierwszej do drugiej. Zwykle jem obiad w barze na mieście. Wracam do domu o wpół do szóstej. Trochę odpoczywam i oglądam wiadomości o szóstej, a wieczorem albo chodzimy z żoną na kolację, albo do kina. W piątki chodzę na kort i od dziewiętnastej do dwudziestej pierwszej gram z kolegami w tenisa. W sobotę czasami pracuję od dziesiątej do drugiej. W niedzielę tylko odpoczywam.

CD 54 **6a Proszę posłuchać nagrania, a następnie zdecydować, czy to prawda (P), czy nieprawda (N):**

Piotr: Słucham!
Beata: Cześć, tu Beata.
Piotr: A, cześć. Co słychać?
Beata: Dziękuję, wszystko w porządku. Co robisz?
Piotr: Nic specjalnego. Trochę pracuję na komputerze.
Beata: Może pójdziemy do kina?
Piotr: Dobry pomysł, ale nie wiem, co jest w kinie.
Beata: W „Apollo" jest festiwal filmów japońskich.
Piotr: Nie lubię filmów japońskich.
Beata: Co proponujesz?
Piotr: Może teatr?
Beata: Nie ma dzisiaj nic interesującego.
Piotr: Może pójdziemy na kawę? Znam nową, fajną kawiarnię.
Beata: Dobrze, gdzie się spotkamy? Gdzie jest ta kawiarnia?
Piotr: Na rynku, obok fontanny. To co, o szóstej?
Beata: Dobrze. Cześć!
Piotr: Na razie!

CD 55-56 **6g Joanna jest bardzo zajęta. Proszę posłuchać dwóch dialogów i wpisać do tabeli, kiedy i o której Joanna: a) ma wizytę u dentysty, b) spotyka się z Karoliną.**

a)
– Gabinet dentystyczny, słucham.
– Dzień dobry. Czy mogę umówić się do doktora Malinowskiego w tym tygodniu?
– Chwileczkę. Na kiedy?
– Może na czwartek?
– O której godzinie?
– Czy o dwunastej jest możliwe?
– Tak. Jak nazwisko?
– Joanna Dąbrowska.
– Proszę bardzo. W czwartek o dwunastej.
– Dziękuję. Do widzenia.
– Do widzenia.

b)
– Proszę?
– Cześć, tu Karolina
– Karolina! Co słychać?
– Wiesz, w tym tygodniu jest festiwal teatrów ulicznych.
– A, faktycznie. Idziesz?
– Tak, to może być interesujące. Masz ochotę pójść?
– Oczywiście. Kiedy?
– W niedzielę.

– O której?
– Po południu.
– To może spotkamy się o piątej na rynku?
– Świetnie.
– To do niedzieli. Cześć!
– Na razie!

CD 57 **10b Adam chce jechać do Krakowa. Idzie do punktu informacji PKP. Proszę wysłuchać nagrania, a następnie zapisać, o której godzinie są pociągi do Krakowa.**

– Dzień dobry. O której są pociągi do Krakowa?
– Pospieszne, ekspresowe czy InterCity?
– Pospieszne.
– Rano o siódmej, potem o trzeciej po południu i jeden o dziewiątej wieczorem.
– A ekspresowe?
– Są tylko dwa – o jedenastej i osiemnastej.
– A ile kosztuje bilet?
– O to proszę zapytać w kasie.
– Dziękuję.

CD 58 DVD 13 **10d Adam kupuje bilet na pociąg do Krakowa. Proszę obejrzeć film lub wysłuchać nagrania, a następnie zdecydować, czy to prawda (P), czy nieprawda (N).**

– Dzień dobry, proszę jeden bilet ulgowy, studencki na InterCity do Krakowa.
– Na kiedy?
– Na piątek, pociąg o dziesiątej trzydzieści.
– To jest pociąg z rezerwacją miejsc. Które miejsce?
– Przy oknie.
– Proszę. Siedemdziesiąt złotych.
– Mogę zapłacić kartą?
– Tak, oczywiście. Proszę PIN i zielony.
– Dziękuję, do widzenia.
– Do widzenia.

CD 59-61 **10f Proszę posłuchać trzech dialogów i odpowiedzieć na pytania:**

a)
– Recepcja, dobry wieczór.
– Dobry wieczór. Proszę mnie obudzić o szóstej.
– Proszę bardzo.
b)
– Słucham.
– Czy to numer czterysta jedenaście – dwadzieścia dziewięć – piętnaście?
– Nie, pomyłka. To numer dwanaście – czterysta jedenaście – dwadzieścia dziewięć – szesnaście.
– O, przepraszam.
c)
– Taxi Rondo słucham.
– Proszę taksówkę na ulicę Mickiewicza 2.
– Proszę podać numer telefonu.
– Dwanaście – dwieście trzydzieści cztery – jedenaście – dwanaście.
– Chwileczkę... Za dwie minuty będzie toyota.
– Dziękuję.

LEKCJA 9

CD 62-64 **1b Proszę posłuchać nagrania, a następnie dopasować dialogi do ilustracji:**

1)
– Dzień dobry, słucham pana.
– Dzień dobry, czy są dżinsy, rozmiar czterdzieści dwa?
– Jaki kolor?
– Niebieskie.
2)
– Czy jest mapa samochodowa Polski?
– Tak, oczywiście.
3)
– Czy są jajka?
– Tak.
– Proszę sześć.

CD 65 **2c Proszę posłuchać dialogu, a następnie przeczytać go na głos z kolegą / koleżanką. Sklep BANKRUT:**

K.: Proszę wodę mineralną i kawę Jacobs.
S.: Butelkę wody mineralnej i paczkę kawy Jacobs?
K.: Tak, oczywiście.
S.: Nie ma wody mineralnej ani kawy.
K.: Proszę banany i ziemniaki.
S.: Ile?
K.: Pół kilo bananów i 2 kilo ziemniaków.
S.: Nie ma bananów. Ziemniaków też nie ma.
K.: A czy jest włoskie wino?
S.: Nie ma włoskiego wina. Francuskiego też nie ma.
K.: A co jest?
S.: Nic nie ma. Sklep jest zamknięty.
K.: Więc co pan tu robi?!
S.: Mieszkam.

CD 66 **6 Pan Kowalski robi zakupy. Proszę posłuchać dialogu w sklepie, a następnie odpowiedzieć, który paragon należy do pana Kowalskiego.**

– Dzień dobry.
– Dzień dobry. Co dla pana?
– Proszę jeden chleb.
– Proszę. Czy coś jeszcze?
– Tak. Czy jest papryka?
– Nie ma.
– Więc proszę pół kilo pomidorów.
– Czy to wszystko?
– Puszkę sardynek i 20 deka sera Gouda.
– Proszę. Czy coś jeszcze?
– Nie, to wszystko. Dziękuję.
– Razem dwanaście czterdzieści.
– Proszę. Do widzenia.
– Dziękuję. Do widzenia.

CD 67 **11a Proszę posłuchać dialogów, a następnie określić, kto rozmawia (osoby młode, starsze) i w jakiej sytuacji (w kontakcie formalnym/nieformalnym).**

a)
– Podoba mi się twój krawat.
– Dziękuję.
b)
– Masz ładną sukienkę.
– Naprawdę? Nie jest nowa.
c)
– Masz świetne dżinsy!
– Mówisz serio? Dziękuję!
d)
– Ładnie panu w tym garniturze.
– Dziękuję pani. Jest pani bardzo miła.
e)
– Świetnie wyglądasz!
– Dziękuję, miło mi to słyszeć!

12 Proszę posłuchać sześciu krótkich dialogów, a następnie zdecydować, czy to prawda (P), czy nieprawda (N):

Przykład:
– Przepraszam, ile kosztuje ta biała sukienka?
– Sto dziewiętnaście złotych.
a)
– Proszę ten niebieski podkoszulek.
– Proszę. Zapakować?
– Tak, dziękuję.
b)
– Czy są sandały rozmiar czterdzieści dwa?
– Tak, jaki kolor?
– Brązowy.
c)
– Czy mogę zobaczyć tę dżinsową spódnicę?
– Szeroką czy wąską?
– Szeroką.
– Proszę.
d)
– Jaka jest cena tego ubrania?
– Piętnaście złotych. To cena promocyjna.
e)
– Ile kosztuje ten garnitur?
– Siedemset osiemdziesiąt złotych. Chce pan przymierzyć?
– Nie, dziękuję. Jest za drogi.

13a Proszę najpierw obejrzeć film *W sklepie odzieżowym* i odpowiedzieć na pytania, a następnie przeczytać ten dialog z kolegą / koleżanką.

Klient: Czy mogę zobaczyć ten zielony sweter?
Ekspedient: Jaki rozmiar?
Klient: 50.
Ekspedient: Proszę bardzo.
Klient: Czy mogę przymierzyć?
Ekspedient: Tak, oczywiście. Tam jest przymierzalnia.
(Po chwili)
Klient: Niestety, jest za duży. Czy jest mniejszy, może 48?
Ekspedient: Tak, proszę.
(Po chwili)
Klient: Dziękuję. Ten jest dobry. Ile kosztuje?
Ekspedient: 225 złotych.
Klient: O, jest za drogi. Czy są tańsze swetry?
Ekspedient: Nie ma.
Klient: To dziękuję, do widzenia.

LEKCJA 10

1a Proszę posłuchać rozmów telefonicznych i uzupełnić dialogi słowami z ramek.

Jacek dzwoni do Ani:
Ania: Słucham.
Jacek: Cześć Aniu, co słychać?
Ania: Cześć Jacek, cieszę się bardzo, że dzwonisz. U mnie wszystko w porządku, a u ciebie? Dawno nie rozmawialiśmy.
Jacek: No tak, byłem zajęty, nie miałem czasu. Przepraszam, że nie dzwoniłem, ale wiesz, uczyłem się do egzaminu.
Ania: Z ekonomii, prawda? Dobrze pamiętam?
Jacek: Tak, dobrze pamiętasz – z ekonomii. A co u ciebie? Masz nową pracę? Szukałaś nowej pracy, kiedy ostatnio się widzieliśmy, prawda?
Ania: Tak, szukałam, ale nie miałam szczęścia. Pracuję dalej tam, gdzie pracowałam.
Jacek: Naprawdę? Pamiętam, że bardzo chciałaś mieć nową pracę.
Ania: No tak... A wiesz, co u Marty? Masz z nią kontakt?
Jacek: Nie, nie wiem, co u niej słychać. Dawno z nią nie rozmawiałem. Wiem, że chodziła na intensywny kurs angielskiego, ale nie mam z nią teraz kontaktu.

Marta dzwoni do taty:
Tata: No cześć Martuniu. Co tam u ciebie słychać? Dawno nie dzwoniłaś.
Marta: Tak, przepraszam tato. Wiesz, że ostatnio byłam bardzo zajęta. Miałam tak dużo pracy.
Tata: Nic nie szkodzi kochanie, ale co słychać u ciebie? Jak było w Zakopanem?
Marta: Świetnie!
Tata: A jaka była pogoda?
Marta: Bardzo ładna, tato.
Tata: A z kim ty byłaś na tej wycieczce? Nie pamiętam, z kim planowałaś jechać? Z Jackiem?
Marta: Nie, nie z Jackiem. Nie mam z nim teraz kontaktu. Byłam z kolegami z pracy. No ale tatuś, jak ty się czujesz?
Tata: Dobrze, wczoraj długo spałem, oglądałem telewizję, trochę spacerowałem.
Marta: A co jadłeś na obiad?
Tata: No co ty się mnie pytasz jak dziecka. Jadłem, jadłem obiad...

CD 71 **4a Proszę posłuchać nagrania i zaznaczyć, gdzie jest akcent.**

mogliśmy – robiliśmy – pisaliśmy – mówiliśmy – rozmawialiśmy;
mogłyśmy – robiłyśmy – pisałyśmy – mówiłyśmy – rozmawiałyśmy;
mogliście – robiliście – pisaliście – mówiliście – rozmawialiście;
mogłyście – robiłyście – pisałyście – mówiłyście – rozmawiałyście

CD 72 **6a 6b Rozmowa telefoniczna:**

– **No cześć, Magda, tu Tomek! Możesz teraz rozmawiać, czy jesteś zajęta?**
– Tak, mogę, jak się masz? Bardzo dawno nie rozmawialiśmy, chyba z pół roku temu, nie?
– **Nawet nie pamiętam dokładnie, chyba w marcu albo w kwietniu. Jeszcze przed moim urlopem chyba. A urlop miałem w maju.**
– Tak, pamiętam, że planowałeś urlop, no i co, gdzie pojechałeś?
– **Do Hiszpanii.**
– No to fantastyczne wakacje! Byłeś sam czy z jakimiś znajomymi?
– **Byliśmy w cztery osoby. Mój brat ze swoją dziewczyną, mój kolega ze studiów, no i ja.**
– Jak długo byliście?
– **Prawie miesiąc. W czerwcu byliśmy już z powrotem w Warszawie. Było naprawdę świetnie. Optymalna pogoda. Jeździliśmy po całej Hiszpanii samochodem, zwiedzaliśmy miasta, codziennie pływaliśmy albo biegaliśmy...**
– No a wieczorem...?
– **Chodziliśmy na dyskotekę albo po prostu do jakiegoś fajnego klubu. Było super!**
– A gdzie jedliście?
– **Śniadania robiliśmy sami, a kolację czy obiad jedliśmy z reguły w restauracji. A ty, miałaś już jakiś urlop?**
– Tak, tak, dwa miesiące temu, w lipcu. Byłam na kursie językowym w Berlinie.
– **Aha. Ale gdzie chodziłaś na lekcje, to było na uniwersytecie czy...**
– Nie, to był normalny kurs językowy w prywatnej szkole językowej. Taka wakacyjna oferta. W grupie było dziewięć osób, codziennie przed południem mieliśmy 4 lekcje – od dziewiątej do wpół do pierwszej, a po południu czy wieczorem spotykaliśmy się już prywatnie i... nie wiem... na przykład chodziliśmy do kina, zwiedzaliśmy miasto albo po prostu rozmawialiśmy gdzieś w kawiarni. No i musiałam się też dużo uczyć.
– **A gdzie mieszkałaś? W hotelu czy u kogoś znajomego?**

– Nie, to był zorganizowany kurs i mieszkanie też było zapewnione. Mieszkałam u rodziny niemieckiej.
– **Aha, to znaczy, że cały czas musiałaś mówić tylko po niemiecku. To nie było za trudne?**
– Wiesz co, na początku tak, ale potem się przyzwyczaiłam...

9c Proszę obejrzeć film i zanotować, co robiły te osoby w przeszłości.

1. Kobieta:
Kiedy byłam mała, często spacerowałam z babcią, lubiłam chodzić na basen i oglądać filmy dla dzieci. Wstawałam o godzinie siódmej, chodziłam spać o ósmej. Mama albo tata czytali mi na dobranoc. Chciałam być lekarką. Lubiłam jeść lody, nie lubiłam pić mleka.

2. Mężczyzna:
Kiedy miałem 16 lat, nie lubiłem chodzić do szkoły. Ale musiałem wstawać codziennie o szóstej, bo mieszkałem na wsi, a szkoła była daleko. Jeździłem do szkoły autobusem. Lubiłem spotykać się z kolegami i grać w piłkę. Grałem też na gitarze, chciałem być muzykiem, często chodziłem z kolegami na koncerty, ale musiałem być w domu o godzinie dwudziestej drugiej.

LEKCJA 11

8a Proszę posłuchać nagrania i uzupełnić tekst. Jest pani młoda i aktywna, dużo pani pracuje. Na pewno będzie pani mieć dużo pieniędzy w przyszłości. Co będzie pani robić, kiedy już będzie pani bardzo bogata?

Kiedy będę bardzo bogata, będę mogła robić to, co będę chciała. Będę mogła na przykład jeździć bardzo drogim i szybkim samochodem i będę mieć duży i elegancki dom. Często będę podróżować z mężem. Nie będziemy musieli gotować w domu, bo codziennie będziemy mogli jeść w restauracji. Nie będziemy musieli pracować. Będziemy mogli robić to, co będziemy chcieli.

Nasze dzieci będą mogły uczyć się w świetnej szkole, a potem będą studiować na dobrym uniwersytecie. Potem będą mieć swoje firmy i będą zarabiać dużo pieniędzy.

9a Pan Głowacki i pani Maruszewska chcą kupić telefon komórkowy i pytają o informacje. Proszę posłuchać 2 dialogów i odpowiedzieć na pytania.

DIALOG 1
– Dzień dobry, słucham, w czym mogę panu pomóc?
– Chciałbym kupić telefon komórkowy, ale nie wiem, jaką mam wybrać taryfę.
– Czy to będzie telefon firmowy, czy prywatny?
– Prywatny, to dla mojej mamy.
– W takim razie proponuję taryfę „Familijną". Pana mama będzie mieć nielimitowane rozmowy do wszystkich sieci. W tej taryfie proponujemy też nielimitowany dostęp do internetu i nowoczesny telefon komórkowy.
– No właśnie, mam pytanie: mama potrzebuje tradycyjnego telefonu. Z internetu nie będzie korzystać. Będzie chciała dzwonić, no i może pisać SMS-y.
– W takim razie mogę przygotować dla pana ofertę specjalną, zamiast dostępu do internetu proponuję nielimitowane SMS-y do wszystkich sieci.
– A ile będę musiał płacić za abonament w tej taryfie?
– Zaraz przygotuję dla pana specjalną ofertę, muszę skonsultować ją z szefem.

DIALOG 2
– Dzień dobry, chciałabym kupić telefon komórkowy na firmę. Jakie państwo mają taryfy w ofercie?
– Mamy dwie taryfy dla firm: „Biznesową" i „Superaktywną".
– No dla mnie pewnie ta „Superaktywna" będzie atrakcyjna, bo będę dużo dzwonić. Czy będę mieć nielimitowane rozmowy do wszystkich sieci?
– Tak, w tej taryfie w abonament wliczone są nielimitowane rozmowy do wszystkich sieci, a także nowoczesny telefon komórkowy.
– Świetnie! Planowałam kupić nowoczesny telefon. A co z SMS-ami?
– W taryfie „Superaktywnej" w abonament wliczone są także SMS-y do wszystkich sieci.
– A co z internetem?
– W taryfie „Superaktywnej" w abonament wliczony jest dostęp do internetu.
– Ile będę musiała płacić za abonament?
– 80 złotych.
– Dziękuję. Muszę się jeszcze zastanowić.

Czy już to umiesz?

I Proszę obejrzeć film i zanotować, jakie plany mają te osoby.

1. Nastolatek: Co będę robić, kiedy będę dorosły? Nie wiem. Pewnie będę pracować, ale gdzie, nie mam pojęcia. Nie wiem. Dziś nie wyobrażam sobie tego, że codziennie będę siedzieć osiem godzin w biurze. To nie dla mnie. Czy będę studiować? Chciałbym, ale nie wiem jeszcze co. Mam nadzieję, że ciągle będę uprawiać mój ulubiony sport, czyli że będę grać w koszykówkę, nawet, jak będę mieć 40 lat.

2. Studentka: Jakie mam plany na przyszły semestr? Wiem, że będę musiała się dużo uczyć, bo przede mną 3 trudne egzaminy. Na pewno będę regularnie jeździć do dziadków. Mam nadzieję, że przynajmniej raz na miesiąc. Czy będę chodzić na imprezy? Chciałabym bardzo, ale nie wiem, czy będę mieć czas, bo w weekendy będę pracować w bibliotece.

3. Emerytka: Postanowienia noworoczne? Nie wiem, nie mam. W moim wieku nie robi się już takich postanowień. Ale mam plany na przyszły rok. Będę codziennie się gimnastykować, będę codziennie chodzić na spacer, nawet jak będzie padać. Będę w niedziele gotować dla moich kochanych wnuczków. A latem będę odpoczywać. Planuję spędzić lato u brata na wsi.

LEKCJA 12

2c Proszę posłuchać nagrania, a następnie zaznaczyć na mapie Relaksandii CO i GDZIE robi na wyspie student / ornitolog / rodzina z dziećmi.

a) Na południu wyspy jest piękna, szeroka plaża. Razem z kolegami zwykle tam surfujemy, bo fale mają tam nawet 5 metrów. A nasze dziewczyny lubią się tam opalać.
b) Jestem ornitologiem i często jeżdżę do parku narodowego na północnym wschodzie, aby obserwować ptaki. Na Relaksandii są one niezwykle piękne.
c) Razem z rodziną spędzamy urlop w gospodarstwie agroturystycznym na północnym zachodzie wyspy. Wieś Cichowo jest idealnym miejscem dla naszych dzieci – mogą jeść owoce i warzywa, pić świeże mleko. Mają kontakt ze zwierzętami. W mieście tego nie ma.

CD 79 **4b Proszę posłuchać dialogu, a następnie z kolegą / koleżanką przygotować podobny dialog.**

– Przepraszam, gdzie jest Rynek?
– Proszę?

– Jak dojść do Rynku?
– Przepraszam, nie rozumiem. Pan nie zna polskiego?
– Tylko trochę. Jestem turystą. Jestem Anglikiem.
– Ach, rozumiem. Pan jest turystą z Anglii.
– Tak, tak. I muszę jechać albo iść do Rynku. Rynek, rozumie pan?
– Tak, pan chce iść do Rynku.
– Tak!
– Proszę iść prosto, potem skręcić w lewo, potem w pierwszą ulicę w prawo.
– Przepraszam, proszę powtórzyć.
– Proszę iść prosto, potem skręcić w lewo, potem w pierwszą ulicę w prawo.
– Nie rozumiem.
– Nic nie szkodzi. Ja idę na Rynek. Mogę iść z panem.

CD 80-83 DVD 17-20 **4d Proszę obejrzeć cztery filmy lub wysłuchać czterech nagrań, a następnie uzupełnić brakujące słowa.**

a)
– Przepraszam, jak dojść do teatru „Bagatela"?
– Proszę iść prosto ulicą Podwale, przejść przez ulicę i skręcić w lewo.
Po lewej stronie jest teatr.
– Dziękuję.
– Nie ma za co.

b)
– Przepraszam, jak dojechać do dworca PKP?
– Autobusem numer 130 lub 115, tramwajem numer 4, 8, 13. Musi pan wysiąść na trzecim przystanku.
– Dziękuję.
– Proszę.

c)
– Przepraszam, gdzie jest zamek Wawel?
– Na rogu ulicy Grodzkiej i Stradom.
– A jak tam dojechać?
– To niedaleko, proszę iść do końca tej ulicy i potem skręcić w prawo.
– Dziękuję.

d)
– Przepraszam, gdzie jest kościół Mariacki?
– Nie wiem. Nie jestem stąd.
– O, przepraszam.

LEKCJA 13

CD 84-90 **4a Proszę posłuchać nagrań i zdecydować, gdzie rozmawiają te osoby.**

1.
– Dzień dobry. Proszę jeden bilet zwykły do Gdyni.
– Na kiedy?
– Na jutro. Godzina 22:45.
– To jest pociąg z miejscami do leżenia. Czy chce pan kuszetkę? Czy tylko miejscówkę?
– Przepraszam, nie rozumiem. Proszę powtórzyć.
– Czy chce pan kuszetkę? Miejsce do leżenia. Czy tylko rezerwację normalnego miejsca?
– Proszę kuszetkę. Przedział dla palących.
– W pociągu obowiązuje całkowity zakaz palenia.
– Nawet w wagonie restauracyjnym nie można palić?
– Przykro mi, ale nie można. Kupuje pan?
– No dobrze, biorę. Ile płacę?
– 125 złotych.

2.
– Jaka wycieczka panią interesuje?
– Chciałabym jechać na wycieczkę do Zakopanego.
– Zakwaterowanie w pensjonacie czy w hotelu?
– Chciałabym nocować w hotelu.
– Pokój jednoosobowy? Z pełnym wyżywieniem?
– Nie, proszę tylko ze śniadaniem.

3.
– Dzień dobry. Lot do Frankfurtu, tak?
– Tak. Proszę, to mój paszport, a to moja walizka. Mam nadzieję, że nie jest za ciężka.
– Nie, waży 18 kilogramów. To w porządku. Czy ma pani bagaż podręczny?
– Tak, mam plecak. Mam nadzieję, że nie jest za duży?
– Nie, nie jest za duży. Wszystko w porządku. Proszę, to pani karta pokładowa.

4.
– Dzień dobry. Proszę paszport.
– Proszę bardzo.
– Czy ma pan coś do oclenia? Czy ma pan alkohol?
– Tak, mam jedną butelkę wódki i karton papierosów.

5.
– Dzień dobry. Proszę jeden bilet do Warszawy na jutro rano, na godzinę 7:05.
– 78 złotych.
– Z którego stanowiska odjeżdża autobus?
– Z szóstego.

6.
– Przepraszam, gdzie są prysznice?
– Natryski? Proszę iść prosto, a potem za tym zielonym namiotem w lewo, widzi pan już?
– Tak, tak widzę. Trzeba płacić?
– Tak, prysznic i toaleta są płatne.

7.
– Dzień dobry, nazywam się Małgorzata Kotarbińska-Żurek, rezerwowałam wczoraj telefonicznie pokój dwuosobowy z łazienką.
– Tak, zgadza się, proszę dowód osobisty.

CD 91 **5a Proszę posłuchać rozmowy telefonicznej i zdecydować, która odpowiedź jest prawdziwa.**

– Pensjonat „Relaks", słucham.
– Dzień dobry, Paweł Mazurek z tej strony. Chciałbym zapytać, czy mają państwo jeszcze wolne pokoje?
– A jaki termin pana interesuje?
– Od przyszłego piątku.
– Chwileczkę... hm..., zaraz sprawdzę... o nie, niestety mam przykrą wiadomość – wszystkie pokoje są już zarezerwowane. No bardzo mi przykro..., ale serdecznie zapraszamy w sierpniu – mamy jeszcze wolne pokoje dwuosobowe z łazienką i trzyosobowe bez łazienki.
– No niestety, w sierpniu nie będę już mieć urlopu. No szkoda, bo mój znajomy bardzo sobie chwalił państwa usługi. Ale może zna pani jakiś inny pensjonat, gdzie mogą być jeszcze wolne miejsca?
– A wie pan co, że nawet znam. Moja kuzynka też ma pensjonat tu w okolicy, bardzo blisko do morza – tylko 5 minut pieszo. Może oni mają jeszcze wolne pokoje. Ma pan coś do pisania? Podam panu numer.
– Tak, proszę dyktować.
– Pensjonat „Błękitna Fala", numer 58 235 87 16.
– Bardzo pani dziękuję. Do widzenia.
– Proszę bardzo. Do widzenia.

CD 92 **5b Proszę posłuchać rozmowy telefonicznej i uzupełnić tekst.**

– Pensjonat „Błękitna Fala" słucham.
– Dzień dobry. Paweł Mazurek z tej strony. Chciałbym zapytać, czy mają państwo jeszcze wolne pokoje?
– Tak mamy, ale jaki pokój i jaki termin pana interesuje?
– Chciałbym zarezerwować pokój dwuosobowy z łazienką. Od przyszłego piątku na tydzień.
– Tak, mamy taki pokój, kosztuje 135 złotych.
– Bardzo się cieszę. Czy w cenie jest śniadanie?

– Tak, śniadanie jest wliczone w cenę pokoju, jest też możliwość wykupienia pełnego wyżywienia. Czy chcą państwo też jeść obiad i kolację?
– Nie, tylko śniadanie.
– Dobrze, więc rezerwuję pokój dwuosobowy od przyszłego piątku na tydzień. Przepraszam, proszę powtórzyć jeszcze raz pana nazwisko.
– Paweł Mazurek.
– Czy mogę jeszcze prosić o telefon kontaktowy?
– Tak, mój telefon komórkowy – 501 245 789.
– Dziękuję i do zobaczenia w piątek.

Czy już to umiesz?

DVD 21 III Proszę obejrzeć film i zanotować, jak te osoby spędziły urlop, gdzie były, co robiły itp.

S1: Cześć! Co słychać? Jak tam po wakacjach?
S2: Świetnie było, chcecie zobaczyć zdjęcia?
S3, S1: Jasne! Pokaż!
S2: Byłem nad morzem, pogoda fantastyczna, codziennie byliśmy kilka godzin na plaży, sam relaks, mówię wam, super! Opalaliśmy się, ja pływałem, ale inni mówili, że woda za zimna. Bez sensu. Woda była świetna, super warunki, mało ludzi. Mieszkaliśmy pod namiotem, niedaleko plaży. Tanio. Tylko jedzenie dość drogie, jedliśmy w barach, ryby, hamburgery, ale mówię wam, drogo. No a wieczorem imprezowaliśmy. Albo na dyskotece, albo na plaży przy ognisku. Świetnie było! A wy? Macie zdjęcia z wakacji?
S1: Z jakich wakacji? Przez dwa miesiące pracowałem! Miałem praktykę w firmie mojego wujka. Codziennie 6 godzin w biurze, a popołudniami uczyłem się do egzaminu poprawkowego. Zero wolnego. Straszne!
S2: Ojej, nie wiedziałem.
S3: Ale ja mam kilka zdjęć. Zobaczcie! W sierpniu byłem na festiwalu muzyki alternatywnej. Cała impreza trwała kilka dni, od rana do wieczora słuchaliśmy koncertów. Nocowaliśmy pod gołym niebem, tylko w śpiworach, bo kumpel, który miał wziąć namiot, nie przyjechał. O tu... zobaczcie! Muzyka była super, zespoły, które grały, jeszcze nie są tak bardzo znane, ale była fantastyczna atmosfera, wszyscy tańczyli, śpiewali. Poznałem fajną dziewczynę...
S1 i S2: I co?!
S3: Pojechaliśmy potem sami na Mazury...
S1: Masz zdjęcia?!

LEKCJA 14

CD 93-94 11 Proszę posłuchać wiadomości nagranych na automatycznej sekretarce i uzupełnić informacje.

1)
– Dzień dobry. Nie możemy teraz odebrać telefonu. Prosimy o zostawienie wiadomości po sygnale.
– Dzień dobry, mówi Tomasz Rybczyński. Dzwonię w sprawie mieszkania do wynajęcia. Jestem bardzo zainteresowany państwa ofertą, ale chciałbym zapytać o kilka szczegółów, na przykład o cenę i o to, czy mieszkanie jest z balkonem. Bardzo proszę o kontakt na numer stacjonarny 422 09 12 albo komórkowy 962 78 09 23. Dziękuję, do widzenia.

2)
– Dzień dobry. Tu numer 567 23 45, proszę zostawić wiadomość po usłyszeniu sygnału.
– Dzień dobry, mówi Teresa Gruszkowska. Przeczytałam pani ogłoszenie w gazecie i chciałabym zaproponować pokój do wynajęcia. Pokój jest ładny, słoneczny i z balkonem. Opłata miesięczna do uzgodnienia, ale nie biorę dużo. Mam nadzieję, że jest pani niepaląca. Bardzo proszę o kontakt na numer 167 24 01. Dziękuję.

DVD 22 13 Proszę obejrzeć film i zanotować, jak wyglądają mieszkania, które ogląda student. Jak Pan / Pani myśli, którą ofertę on wybierze? Dlaczego Pan / Pani tak myśli? Proszę porozmawiać o tym z kolegą / koleżanką.

Student: Dzień dobry, dzwonię w sprawie pokoju do wynajęcia.
...
Czy mogę zobaczyć pokój?
...
Czy dzisiaj jest to możliwe? Tak? O której godzinie?
...
Świetnie! Do zobaczenia.

LEKCJA 15

CD 95 2b Proszę posłuchać prognozy pogody z ćwiczenia 2a, a następnie odczytać na głos tekst prognozy z odpowiednią intonacją.

Dziś jest wtorek, piętnasty dzień marca. Prognoza pogody na dzisiaj: będzie słonecznie i ciepło na południu, ale na północnym wschodzie będzie zimno i będzie padać deszcz, zaś na północnym zachodzie śnieg. W centrum będzie wiać silny wiatr, a wieczorem będą burze. Proszę pamiętać o parasolach! Temperatura – od pięciu stopni na północnym zachodzie do piętnastu na południu.

CD 96 4a Proszę posłuchać nagranego dialogu, a następnie zdecydować, czy to prawda (P), czy nieprawda (N).

K.: Lubię jesień. A pan?
M.: Ja niespecjalnie. Za często pada deszcz. Nie można chodzić na spacery.
K.: Tak, ale ja bardziej nie lubię zimy. Cały czas pada śnieg i jest zimno.
M.: Ma pani rację, ale w górach zimą jest pięknie. I można pojeździć na nartach.
K.: Ja zwykle mam urlop latem. Jeżdżę nad morze, zwykle za granicę. Pan spędza urlop w górach?
M.: Tak, nad Bałtykiem jest za zimno. I za drogo.
K.: To prawda. Ale pan mieszka w Krakowie, więc ma pan niedaleko – tylko dwie godziny drogi samochodem do Zakopanego.
M.: I często jeżdżę tam na weekend.
K.: Może pojedziemy kiedyś razem?

CD 97 8a Proszę posłuchać nagrania, a następnie odpowiedzieć na pytania.

– Przychodnia „Eskulap", słucham.
– Dzień dobry, chciałbym zarejestrować się do doktora Nowaka.
– Na kiedy?
– Na wtorek.
– Proszę bardzo. Na którą godzinę?
– Może po południu.
– Może być o piątej?
– Tak, świetnie.
– Na jakie nazwisko?
– Marian Kozłowski.
– Proszę bardzo.
– Dziękuję.

 **8b** **Proszę obejrzeć film lub wysłuchać nagrania *U lekarza*, a następnie dopasować brakujące fragmenty dialogu.**

CD 98 DVD 23

P.: Dzień dobry, panie doktorze.
L.: Dzień dobry. Co panu dolega?
P.: Nie wiem, ale źle się czuję.
L.: Czy ma pan gorączkę?
P.: Tak, 38,5. I mam też katar i kaszel.
L.: Jak długo?
P.: 3 dni.
L.: Proszę się rozebrać. Zbadam pana.
(po chwili)
L.: Tak, to grypa. Proszę leżeć w łóżku tydzień, pić gorącą herbatę. Proszę, tu są recepty na lekarstwa. Apteka jest niedaleko na tej ulicy.
P.: Dziękuję. Do widzenia.

LEKCJA 16

 CD 99 **7a** **Proszę posłuchać nagrania i uzupełnić tekst.**

Od roku 1992 tygodnik POLITYKA szuka młodych interesujących artystów i przyznaje im swoje nagrody Paszporty „Polityki". Laureaci Paszportów to ludzie, którzy czują temperaturę kultury, aktualne tematy i mają kontakt z publicznością, także tą światową. Ich nazwiska znajdujemy w prasie krajowej i zagranicznej. Otrzymują prestiżowe nagrody europejskie. W ciągu ostatnich lat Paszporty otrzymali między innymi w kategorii literatura: Olga Tokarczuk, Dorota Masłowska, Michał Witkowski oraz Marek Krajewski, w kategorii film: Małgorzata Szumowska, Wojciech Smarzowski, Jan Komasa i Piotr Trzaskalski, w kategorii muzyka popularna: Anna Maria Jopek, Maria Peszek, zespół Myslovitz oraz Fisz i Emade, w kategorii sztuki wizualne: Marcin Maciejowski, Robert Kuśmirowski, Grupa Tworzywo i Katarzyna Kozyra. Paszporty „Polityki" to znak jakości, przegląd nowych trendów kultury. Najlepiej świadczą o tym życiorysy laureatów i nominowanych.

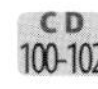 CD 100-102 **7c** **Poniżej przedstawiono notki biograficzne. Proszę posłuchać drugiego fragmentu audycji radiowej i je uzupełnić.**

Oto kilka informacji na temat laureatów Paszportów „Polityki":

Dorota Masłowska otrzymała Paszport „Polityki" za powieść „Wojna polsko-ruska pod flagą biało-czerwoną", którą napisała, gdy miała 18 lat. Powieść ta była jednym z najgłośniejszych wydarzeń literackich w Polsce ostatnich lat. Została przetłumaczona na kilka języków europejskich. 4 lata później pisarka otrzymała nagrodę literacką Nike za powieść „Paw królowej". Dorota Masłowska jest także autorką sztuk teatralnych, felietonów i piosenek. Opisuje aktualną Polskę, a także medialne, popkulturowe i narodowe stereotypy. Jej twórczość wywołuje wiele kontrowersji. Pisarka urodziła się w Wejherowie, studiowała psychologię w Gdańsku i kulturoznawstwo w Warszawie.

Maria Peszek otrzymała Paszport „Polityki" za wykreowanie spójnej wizji artystycznej i za śmiałą i oryginalną koncepcję języka w tekstach piosenek z płyty „Maria Awaria" oraz za poetycką subtelność ekspresji wokalnej. Urodziła się we Wrocławiu. Jest aktorką – skończyła PWST w Krakowie, a także piosenkarką i autorką tekstów. Jej ostatni album „Maria Awaria" razem z książką „Bezwstydnik" to artystyczna prowokacja, ale dla fanów i krytyków jest to wybitna, niebanalna kreacja, która łamie językowe i obyczajowe tabu i wyznacza nowe trendy w muzyce i w tekstach.

Marcin Maciejowski – malarz, rysownik. Paszport „Polityki" otrzymał za swoje obrazy. Urodził się w Babicach k. Krakowa. Skończył Technikum Budowlane w Krzeszowicach, studiował Architekturę w Krakowie, ale po III roku przerwał studia i w roku 2001 skończył grafikę w krakowskiej ASP. Był członkiem Grupy Ładnie. Brał udział w wielu wystawach indywidualnych i zbiorowych, prezentował w Zachęcie wystawę „Tu żyją i tu jest im dobrze". Jego prace znajdują się m.in. w zbiorach Centrum Sztuki Współczesnej Zamek Ujazdowski i w Muzeum Narodowym w Krakowie. Współpracował z „Przekrojem" oraz galeriami z Warszawy, Wiednia, Londynu oraz Nowego Jorku.

Czy już to umiesz?

 DVD 24 **VI** **Proszę obejrzeć film o Marii Skłodowskiej-Curie i zanotować informacje na temat jej biografii.**

- Maria Skłodowska-Curie była polską chemiczką, fizyczką i laureatką Nagrody Nobla.
- Urodziła się w Warszawie w 1867 roku.
- Jej matka pracowała jako dyrektorka szkoły dla dziewcząt, a ojciec był nauczycielem fizyki i matematyki.
- Miała czworo rodzeństwa – 3 starsze siostry: Zofię, Bronisławę i Helenę i jednego starszego brata Józefa. Maria była najmłodszym dzieckiem w rodzinie.
- Była bardzo zdolna, pracowita i miała świetną pamięć.
- Kiedy miała 16 lat, skończyła Gimnazjum Żeńskie w Warszawie. Była świetną uczennicą i otrzymała za to złoty medal.
- Kiedy skończyła 19 lat, zaczęła pracować jako guwernantka na wsi w okolicy Płocka. Zarabiała pieniądze i pomagała finansowo siostrze Bronisławie, która studiowała we Francji.
- Wróciła do Warszawy 3 lata później i uczyła się chemii i fizyki w pracowni naukowej Muzeum Przemysłu i Rolnictwa.
- Kiedy miała 24 lata, wyjechała do siostry do Paryża i zaczęła studiować na Sorbonie fizykę i matematykę.
- Tam poznała Pierre'a Curie.
- W czasie studiów grała w amatorskim teatrze.
- Skończyła studia, kiedy miała 26 lat: otrzymała dyplom z fizyki, a w następnym roku z matematyki.
- Kiedy miała 28 lat, wyszła za mąż za Pierre'a Curie.
- Łączyła ich pasja do nauki i ideały. Lubili też bardzo wycieczki rowerowe. Maria lubiła także chodzić po górach.
- Maria urodziła dwie córki: Irenę i Ewę.
- Kiedy miała 31 lat, wspólnie z mężem odkryła polon i rad.
- 5 lat później otrzymali za to Nagrodę Nobla w dziedzinie fizyki.
- Kiedy miała 39 lat, jej mąż zmarł tragicznie, a ona została kierowniczką katedry fizyki na Sorbonie.
- Została pierwszą kobietą profesorem na tym uniwersytecie.
- W 1911 roku otrzymała Nagrodę Nobla w dziedzinie chemii.
- Maria zrobiła także prawo jazdy. W czasie pierwszej wojny światowej razem z córką Ireną zorganizowała mobilną służbę radiologiczną na potrzeby szpitali wojskowych.
- Niestety zachorowała na ciężką chorobę i zmarła, kiedy miała 67 lat.

LEKCJA 17

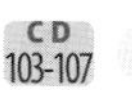 CD 103-107 **3** **Proszę wysłuchać nagrania i dopasować opisy dyscyplin sportowych do ich nazw.**

a)
Jest to bardzo popularna dyscyplina sportowa. Lubią grać w nią też dzieci, szczególnie chłopcy. Dwie drużyny (grupy) po 11 osób grają przez 90 minut, z jedną przerwą. Wygrywa ta drużyna, która strzeli więcej goli. Podczas gry można używać nóg, nie można rąk. Do tej gry potrzebna jest piłka.

b)
W tej dyscyplinie sportowej są różne style: kraul, delfin, żabka. Tu mogą też być drużyny, ale można również startować indywidualnie. Ważne jest, kto będzie pierwszy. Ten sport nie jest możliwy bez wody.

Dlaczego HURRA!!!?

NOWE HURRA!!!

FILMY

Pierwsza na polskim rynku publikacja do JPJO zawierająca obszerny materiał filmowy dostosowany do każdego etapu nauki. Zabawne scenki, dialogi i sytuacje z dnia codziennego. Na wyższych poziomach zaproponowano materiał dokumentalny. Wszystkim filmom towarzyszą różnorodne ćwiczenia, pytania i propozycje tematów do dyskusji, które pomogą w aktywny sposób skorzystać z materiału filmowego.

NOWOŚĆ!!! Pierwsza na polskim rynku publikacja do JPJO umożliwiająca odtwarzanie ćwiczeń VIDEO i AUDIO za pomocą aplikacji na telefon.

HURRA!!

Hurra!!! to nowoczesna SERIA do nauczania języka polskiego jako obcego, która

- jest napisana w duchu podejścia komunikacyjnego, umożliwiającego efektywne porozumiewanie się już na początkowych etapach nauki;
- pozwala na poznawanie języka polskiego poprzez samodzielne odkrywanie i formułowanie reguł gramatycznych;
- przedstawia trudne zagadnienia gramatyczne w sposób atrakcyjny graficznie i przyjazny dla uczącego się;
- proponuje systematyczne rozwijanie kompetencji językowych w słuchaniu, czytaniu, mówieniu, pisaniu;
- ma przejrzystą strukturę – oznaczone różnymi kolorami poszczególne rozdziały, sekcje słownictwa i gramatyki ułatwiają poszukiwanie konkretnych zagadnień bądź ćwiczeń.

Seria Hurra!!! zawiera:

- w każdej lekcji bogaty materiał ilustrujący współczesną Polskę i pokazujący realia życia codziennego;
- aktualne tematy prezentowane w autentycznych sytuacjach z życia codziennego, które wprowadzają informacje realioznawcze i kulturoznawcze oraz odpowiadają praktycznym potrzebom komunikacyjnym uczących się;
- liczne propozycje ćwiczeń, gier i zabaw, które wspomagają uczenie się języka obcego i powodują, że proces nauki i nauczania staje się efektywniejszy, łatwiejszy i przyjemniejszy;
- gotowe testy osiągnięć i ćwiczenia kontrolne oraz powtórzeniowe, które umożliwiają stałą kontrolę postępów w nauce;
- zestaw egzaminacyjny, czyli propozycje testów wzorowanych na państwowych egzaminach certyfikatowych na poziomie PL-B1;
- osobne zeszyty ćwiczeń wraz z kluczem oraz transkrypcje tekstów AUDIO/VIDEO, które pozwalają na dodatkową samodzielną pracę i umożliwiają samokontrolę;
- podręczniki nauczyciela z grami i praktycznymi wskazówkami zarówno dla początkujących, jak i doświadczonych nauczycieli, z gotowymi materiałami do kopiowania i sugestiami jak modyfikować oraz urozmaicać lekcje;
- gramatykę języka polskiego w trzech wersjach językowych, napisaną w sposób zrozumiały dla użytkownika i przyjazną w użyciu (systematyczny opis języka / żartobliwe objaśnienia rysunkowe / wiele dowcipnych przykładów zdań / przejrzysty skład / tabelaryczne zestawienia zagadnień gramatycznych / ikony informujące o systemie języka / praktyczny w użyciu format).

Hurra!!! to SERIA pomyślana i zaprojektowana tak, by pomóc uczącemu się w skutecznym opanowaniu poznawanego materiału, a nauczycielowi w pracy dydaktycznej.